COMO IDENTIFICAR UM MENTIROSO

Dr. David Craig

COMO IDENTIFICAR UM MENTIROSO

TORNE-SE UM VERDADEIRO DETECTOR DE MENTIRAS HUMANO EM MENOS DE 60 MINUTOS

Tradução

MIRTES FRANGE DE OLIVEIRA PINHEIRO

Editora Cultrix
SÃO PAULO

Título original: *Lie Catcher – Become a Human Lie Detector in Under 60 Minutes.*

Texto de acordo com as novas regras ortográficas da língua portuguesa.

1ª edição 2013.
7ª reimpressão 2024.

Advertência: As opiniões e comentários expressos neste livro são exclusivamente do autor. O autor não representa nenhuma agência do governo, nem qualquer empresa comercial ou entidade privada. As técnicas contidas neste livro são utilizadas por profissionais especializados em detecção de mentiras ao redor do mundo e, quando corretamente aplicadas, trarão grandes benefícios. No entanto, nenhuma técnica de detecção de mentiras é 100% precisa, desse modo é preciso analisar com cuidado todos os resultados antes de concluir se uma pessoa realmente está mentindo.[1]

Editor: Adilson Silva Ramachandra
Editora de texto: Denise de C. Rocha Delela
Coordenação editorial: Roseli de S. Ferraz
Produção editorial: Indiara Faria Kayo
Assistente de produção editorial: Estela A. Minas
Editoração eletrônica: Join Bureau
Revisão: Nilza Agua e Yociko Oikawa

CIP-Brasil. Catalogação na Publicação
Sindicato Nacional dos Editores de Livro, RJ

C923c
Craig, David
Como identificar um mentiroso: torne-se um verdadeiro detector de mentiras humano em menos de 60 minutos / David Craig; tradução Mirtes Frange de Oliveira Pinheiro. – 1. ed. – São Paulo: Cultrix, 2013.
208 p.: il.; 23 cm.

Tradução de: Lie Catcher: Become a Human Lie Detector in Under 60 Minutes.
Referências e notas
ISBN 978-85-316-1238-1

1. Linguagem corporal. 2. Linguagem corporal – Aspectos psicológicos. 3. Veracidade e falsidade. I. Título.

13-02115 CDD-153.6
CDU: 316.47

Direitos de tradução para a língua portuguesa adquiridos com exclusividade pela
EDITORA PENSAMENTO-CULTRIX LTDA., que se reserva a
propriedade literária desta tradução.
Rua Dr. Mário Vicente, 368 – 04270-000 – São Paulo, SP
Fone: (11) 2066-9000
http://www.editoracultrix.com.br
E-mail: atendimento@editoracultrix.com.br
Foi feito o depósito legal.

Agradecimentos

Agradeço à minha esposa, Alisa, e aos meus quatro filhos, Katrina, Lucinda, Rosalie e Roy, por seu infindável apoio. E também à minha mãe, Dell (também escritora), que me ajudou muito neste projeto.

Meu agradecimento especial a Brett e Shakimra Charles, da LEFTFIELD Sound, Vision and Multimedia, por sua amizade e apoio profissional.

Agradeço também a Denny Neave, da Big Sky Publishing, por sua confiança e comprometimento, e a Diane Evans, que forneceu informações úteis e trabalhou incansavelmente para manter todas as peças lubrificadas e a tempo!

Sumário

Introdução 9

PRIMEIRA PARTE: O QUE É A MENTIRA

A natureza da mentira 13
Mentiras em benefício de outros 15
Mentiras em benefício próprio 18
Para evitar constrangimento 18
Para causar boa impressão 19
Para obter vantagem 20
Para evitar punição 22
Resumo dos principais pontos 24
A natureza da detecção da mentira: somos bons nisso – naturalmente? . 25
Resumo dos principais pontos 43

SEGUNDA PARTE: COMO DETECTAR MENTIRAS

Respostas à mentira 49
Fase 1: Resposta emocional 49
Fase 2: Resposta do Sistema Nervoso Simpático 50
Fase 3: Resposta cognitiva – uma contramedida 50
Respostas à mentira 55
Resumo dos principais pontos 58
Processo de detecção de mentira 61
Primeira etapa: Motivação 62
Segunda etapa: Faça Perguntas de Controle – estabeleça um padrão de comportamento 62
Terceira etapa: Faça Perguntas Capciosas – perguntas que deem margem a mentiras 66

Quarta etapa: Indicadores – Existem sinais de mentira que ocorrem em grupo? ... 67
Quinta etapa: Verifique novamente: reavalie ... 68
Detecção de mentira em ação ... 70
Resumo dos principais pontos ... 78
Sinais de mentira ... 81
"Está na cara" ... 84
Os olhos ... 84
O nariz sabe ... 102
A boca ... 104
Microexpressões – *Flashes* de falsidade ... 114
Confusão entre microexpressões ... 125
O corpo mente ... 127
Sinais verbais de mentira ... 145
Resumo dos principais pontos ... 153
Vá à luta! ... 157

TERCEIRA PARTE: SEÇÃO DE CONSULTA RÁPIDA

A natureza da mentira: Resumo dos principais pontos ... 161
A natureza da detecção da mentira: Resumo dos principais pontos ... 163
Respostas à mentira: Resumo dos principais pontos ... 165
Processo de detecção de mentira: Resumo dos principais pontos ... 167
Sinais de mentira: Resumo dos principais pontos ... 169
Sinais de mentira: Lista de consulta rápida ... 173
Sinais de mentira: Guia de imagens para consulta ... 175
Microexpressões: Guia de imagens para consulta ... 181
Dicas úteis – Pais e professores ... 185
Os sinais de mentira mais evidentes das crianças ... 188
Dicas úteis – Entrevista de emprego e negociação ... 191

Referências e notas finais ... 197

INTRODUÇÃO

Provavelmente, o que mais o atraiu para este livro foi a vontade de saber quando alguém está lhe dizendo a verdade ou não. Ou então o fato de já ter sido enganado antes e querer se precaver contra enganações no futuro. Em ambos os casos, este livro o ajudará.

Quando comecei a pesquisar sobre a detecção da mentira, anos atrás, vi que havia muitos trabalhos acadêmicos e livros didáticos de alto nível sobre o assunto, mas não um guia confiável e de fácil leitura que transmitisse conhecimentos e ensinasse habilidades que pudessem ser postas em prática – então decidi escrever um.

Se você quer ter uma vantagem psicológica ao fechar um negócio, tentar obter determinado resultado, interagir com outras pessoas ou até mesmo fazer uma compra, este livro é para você. A detecção da mentira não precisa necessariamente ser uma prática sinistra. Você verá que o livro traz alguns exercícios divertidos e interessantes. Desafie seus amigos e familiares – será que eles conseguem mentir para você?

Além de ter mais de 20 anos de experiência em criminologia e pesquisas sobre fraude e detecção de fraude em operações secretas, passei centenas de horas analisando a teoria de alguns dos maiores especialistas no assunto em todo o mundo. Graças à combinação de conhecimento teórico e experiência prática, pude compilar todas as informações pertinentes num livro bastante prático que em pouco tempo o ajudará a se tornar um verdadeiro detector de mentiras. Estudos revelaram que, com treinamento e prática, a maioria das pessoas consegue aprender rapidamente a detectar mentiras. Este livro fará isso por você.

Se seu tempo é curto e você quer começar a praticar logo, pode pular a *Primeira Parte: O que é a Mentira*, e passar diretamente para a *Segunda Parte: Como Detectar Mentiras*, a seção prática. Caso decida começar pela seção prática, recomendo que, enquanto pratica o que leu na *Segunda Parte*, reserve um tempo para ler a *Primeira Parte*, para que possa adquirir um conhecimento mais profundo da mentira.

Saber distinguir quando uma pessoa está dizendo a verdade ou mentindo para você é vital para o século XXI. Seja qual for sua idade, sexo ou formação, este livro lhe dará as ferramentas necessárias para você se tornar um bom "Detector de Mentiras Humano". Boa caçada!

Primeira Parte

O que é a Mentira

A NATUREZA DA MENTIRA

Insinceridade, lorota, conversa fiada, falsidade, mentira deslavada, invencionice – já ouvi até mesmo um candidato à presidência dos Estados Unidos dizer educadamente que "havia se expressado mal" – talvez fosse uma mentira. Não importa o nome que lhe damos ou o contexto em que ela ocorre, todos nós temos a nossa opinião pessoal sobre o que é a mentira, e existe um grande número de descrições do ato de mentir. A meu ver, mentira é um ato físico, uma afirmação verbal ou omissão com o objetivo de esconder a verdade. Por exemplo, uma pessoa pode mentir fisicamente, como no caso dos furtos em lojas, em que ela passa a impressão "física" de cliente honesto para a segurança do estabelecimento enquanto, disfarçadamente, subtrai mercadorias das prateleiras. Verbalmente, uma pessoa pode tentar enganar outra ao dizer, ou não dizer, determinadas palavras. Em ambos os exemplos, o objetivo é ocultar a verdade.

Quase todo mundo admitiria que mentir é um ato de desonestidade, e é essa conotação negativa que leva a maioria das pessoas, quando perguntadas, a dizer que raramente mentem. Na maioria dos casos, isso não é verdade. Existem muitos estudos independentes sobre a frequência da mentira na sociedade. Alguns deles revelaram que mentimos apenas duas vezes por dia (só 730 vezes por ano!), enquanto pesquisas mais recentes mostram que uma pessoa normal mente três vezes a cada dez minutos de conversa.[2] Um estudo realizado por Robert Feldman na Universidade de Massachusetts chegou a um meio-termo, ao constatar que 60% dos entrevistados mentiam pelo menos uma vez a cada dez minutos de conversa.[3] Para a maioria das pessoas, essa estatística é surpreendente, quase inacreditável. Isso é compreensível, considerando-se que uma das maiores ofensas que existem é ser chamado de mentiroso. No entanto, esses estudos realizados com vários grupos sociais e diversas culturas revelaram que, embora a frequência possa diferir de um estudo para outro, a mentira é uma prática universal e cotidiana.

Quando ouvem essa afirmação pela primeira vez, as pessoas discordam – admito que, a princípio, parece chocante. A única maneira de entender essa estatística e aceitar o fato de que mentir faz parte da interação humana é compreender a exata natureza da mentira. Dessa forma, quando você perceber que alguém mentiu, será capaz de imaginar o que levou essa pessoa a agir dessa maneira.

De modo geral, a mentira pode ser dividida em duas categorias: mentira em benefício próprio e mentira em benefício de outros. O objetivo da mentira em benefício próprio é ajudar quem conta a mentira, enquanto o objetivo da mentira em benefício de outros é ajudar outras pessoas. Vamos analisar primeiro as mentiras em benefício de outros, uma vez que elas costumam ser inócuas e raramente causam mágoa ou representam uma ameaça. Em contrapartida, as mentiras em benefício próprio podem ser bastante prejudiciais. Por esse motivo, depois de uma breve análise sobre a natureza das mentiras em benefício de outros, o restante do livro examinará em detalhes as mentiras em benefício próprio e como detectá-las.

MENTIRAS EM BENEFÍCIO DE OUTROS

Essas mentiras, como o próprio nome indica, são focadas em outras pessoas. Geralmente são bem-intencionadas e, na maioria dos casos, se a verdade for descoberta não causará grande mágoa. Às vezes são chamadas de mentirinhas bobas ou sociais, e seu objetivo é, de alguma maneira, favorecer ou proteger outras pessoas.

Por exemplo, você encontra um amigo que não via há anos e diz: "Você não mudou quase nada desde a última vez que nos vimos", quando, na verdade, ele está muito mais gordo, com mais cabelos brancos e bem mais envelhecido do que você esperava. No entanto, ele é um amigo querido e você fica feliz em revê-lo. Então, por que deveria estragar tudo fazendo observações francas do tipo: "Nossa, como você engordou, seu cabelo está bem grisalho e mais ralo e, cara, você envelheceu bastante. Mesmo assim, fico feliz em revê-lo". Se fizer isso, pode ser que não o veja nunca mais – nem sempre esperamos ou queremos ouvir a verdade.

Da mesma forma, um amigo ou colega esteve muito doente e você fica impressionado ao ver o quanto ele está magro e pálido. Apesar disso, sente que ele precisa de umas palavras de ânimo e mente, dizendo que ele está com ótima aparência. Esses são dois exemplos de mentira, porém ditas por uma boa causa.

Outros exemplos são o de um pai que finge ter ficado muito feliz com o par de meias que ganhou outra vez no dia dos pais e da mãe que agradece à filhinha de 4 anos pelo delicioso sanduíche de mel e sardinha que ela lhe preparou para o almoço.

Eis alguns exemplos de perguntas que podem evocar automaticamente uma mentira em benefício do outro, ou seja, de quem perguntou:

- "Essa roupa me deixa muito bunduda?"
- "Você gosta do meu sapato novo?"
- "Você acha que eu engordei?"

As mentiras em benefício de outros são ditas automaticamente em resposta às perguntas mais frequentes, do tipo "Como vai?"; "Como tem passado?"; "Como vai a família?". Em quase todas as ocasiões, a resposta é uma mentira automática e positiva: "Bem, obrigado". "Tudo bem". "Beleza". A menos que seja uma verificação do serviço de assistência social, quem pergunta não espera nem quer receber uma resposta completa, detalhada e precisa. Pense na seguinte situação: dois colegas de trabalho se encontram na entrada do escritório. Um deles diz ao outro: "Oi, como tem passado – como vai a família?" Imagine uma resposta totalmente honesta: "Tudo bem, embora esteja com um pouco de dor de cabeça e esse sapato esteja me matando. Estou preocupado com a discussão que tive com minha mulher esta manhã; parece que estamos nos distanciando ultimamente. Peter está indo bem na escola, mas ele nunca arruma seu quarto e isso me deixa muito chateado".

Obviamente essa pergunta foi feita por educação, para demonstrar interesse pelo colega, mas não interesse suficiente para ouvir todos os pormenores. Além disso, o colega nem ia querer entrar em todos esses detalhes por uma questão de privacidade, e também para não amolar o outro com seus problemas. Esse tipo de pergunta é comum na maioria das culturas e costuma ser respondida da mesma maneira positiva e automática.

Nem sempre as mentiras em benefício de outros precisam ser superficiais ou simplesmente de acordo com a etiqueta social, tampouco ocorrem só entre amigos ou colegas. Elas também podem ser mais significativas e ocorrer entre completos estranhos, às vezes necessariamente. Por exemplo, analise a seguinte situação: uma pessoa testemunha uma mulher aflita sair de casa e se esconder do marido enfurecido na casa da vizinha. Se essa testemunha for questionada pelo marido, seria razoável esperar que ela mentisse para proteger a mulher, como, por exemplo, "Acho que ela fugiu", e indicar a direção errada, ou então dizer que não viu nada. Mesmo que a testemunha não conheça nenhuma das partes envolvidas, isso não altera o princípio da mentira em benefício de outros, uma mentira dita para o bem de outra pessoa ou com a finalidade de protegê-la – nesse caso, a esposa.

A sociedade aceita esse tipo de mentira como parte da interação normal entre os seres humanos. Essa categoria de mentira é o lubrificante que faz girar suavemente as engrenagens da interação social, evitando qualquer atrito desnecessário. Apesar da sua "boa intenção", ainda assim é uma mentira, pois seu objetivo é ocultar a verdade de outra pessoa. No entanto, é muito difícil criticar alguém que age dessa maneira; na verdade, espera-se que a maior parte da sociedade faça isso.

Reflita por um momento a respeito da estatística mencionada anteriormente sobre a grande frequência da mentira – você ainda se surpreende com o fato de que a cada dez minutos de conversa seja dita uma mentira? Se quiser testar essa estatística, sugiro que mantenha um "Diário de Mentiras" durante uma semana, tomando nota de todas as vezes que contar uma mentira, mesmo que seja uma mentirinha boba. Se você for totalmente honesto, ficará surpreso com a frequência com que mente, e também com o quanto é necessário mentir. Se, ainda assim, você não ficar convencido, tente não mentir durante uma semana inteirinha – é dificílimo, e provavelmente você ofenderá algumas pessoas ao dizer sempre a verdade.

Espero que esta seção tenha lhe ajudado a entender por que a frequência da mentira é tão elevada e também que nem sempre mentir é um ato condenável, principalmente quando se trata de uma mentira em benefício de outros. A próxima categoria de mentira, no entanto, pode ser muito mais danosa.

MENTIRAS EM BENEFÍCIO PRÓPRIO

Ao contrário das mentiras em benefício de outros, o objetivo das mentiras em benefício próprio é favorecer ou proteger a pessoa que conta a mentira. Estudos revelaram que 50% das mentiras encaixam-se nessa categoria.[4] Existem quatro motivações que levam uma pessoa a contar uma mentira em benefício próprio:

- Evitar constrangimento.
- Causar boa impressão.
- Obter vantagem.
- Evitar punição.[5]

Para que você possa reconhecer facilmente cada uma dessas motivações quando deparar com elas, apresentamos aqui alguns exemplos.

PARA EVITAR CONSTRANGIMENTO

Esta é a motivação mais inofensiva para alguém contar uma mentira em benefício próprio. Por exemplo:

- Inventar uma desculpa para não ir tomar um drinque com alguém, quando a verdadeira razão é simplesmente falta de dinheiro.
- Depois de passar o sábado e o domingo solitário, dizer que o final de semana foi ótimo, para evitar qualquer tipo de constrangimento por não ter companhia.

- Começar a usar transporte público para ir ao trabalho enquanto seu carro está na oficina; em vez de confessar que bateu o carro, dizer que está fazendo isso porque é difícil encontrar estacionamento na cidade.

Como você pode ver nesses exemplos, a natureza dessa motivação para contar uma mentira em benefício próprio é compreensível, embora às vezes seja malcompreendida; raramente esse tipo de mentira magoa ou prejudica alguém.

PARA CAUSAR BOA IMPRESSÃO

Uma razão muito frequente da mentira em benefício próprio é o desejo de causar boa impressão, e a mais comum delas. O fator motivador costuma ser insegurança, que faz com que a pessoa sinta necessidade de passar uma impressão melhor do que passaria com a verdadeira situação. Essa categoria tem vários graus, desde um leve exagero até uma completa invenção. Na maioria das vezes, as pessoas "enfeitam" a verdade com algumas informações falsas. Menos frequente, porém mais danosa, é a mentira em que a pessoa inventa algum fato com o único propósito de impressionar o outro.

Esse motivo pode estar presente em situações como o começo de um namoro ou no caso de competição entre duas ou mais pessoas, bem como entre irmãos adultos numa reunião familiar ou ex-colegas de escola num encontro de turma. Aqui estão alguns exemplos:

- Exagerar o valor da sua renda mensal.
- Fingir conhecer celebridades ou figuras importantes da sociedade (citar nomes).
- Inventar conquistas acadêmicas, feitos esportivos ou habilidades pessoais, ou, em alguns casos, dos filhos.

- Aumentar o número de subordinados no trabalho ou exagerar o escopo de um cargo ou a própria importância dentro de um grupo profissional ou esportivo.

Esse tipo de mentira pode não ter efeitos adversos, como no caso de informações falsas irrelevantes, mas também pode minar ou destruir um relacionamento, causando profunda mágoa, como acontece quando o relacionamento de um casal é estabelecido com base em informações falsas. No contexto dos negócios, pode causar perda financeira ou constrangimento profissional. Por exemplo, o CEO ou sócio de uma empresa pode ser levado a concordar em contratar ou fazer sociedade com um impostor sem as qualificações necessárias ou a fechar um negócio com base em afirmações enganosas feitas por um impostor – ambos os casos podem causar prejuízo para a empresa. Esses exemplos mostram por que é importante conseguir detectar mentirosos tanto nos relacionamentos pessoais como profissionais. A natureza mais sinistra das "mentiras para causar boa impressão" também se encaixa na próxima categoria: obter vantagem.

PARA OBTER VANTAGEM

Como já dissemos, quando levada ao extremo, a intenção de causar boa impressão pode ser aliada a uma segunda intenção, a de obter vantagem. Mentir para obter vantagem é um ato claramente temível e que vale a pena ser identificado. Aqui estão alguns exemplos:

- Inventar circunstâncias em que o mentiroso precisa da sua ajuda, como auxílio pessoal ou financeiro.
- Espalhar informações falsas sobre outra pessoa com quem se está competindo.
- Colocar dados falsos numa proposta de emprego ou no currículo (muito comum).

- No caso de venda, inventar uma história ou atribuir um valor falso para o objeto à venda.
- No caso de compra, alegar não ter a quantia necessária ou dizer que outra loja está vendendo o mesmo objeto por um valor menor, para conseguir uma redução do preço.

Em um grupo social, uma pessoa pode espalhar boatos falsos sobre outra com o único propósito de abalar a credibilidade dela. Se você for alvo desse tipo de mentira, pode tomar duas providências. Em primeiro lugar, salientar as inconsistências dos boatos. Se você conseguir fazer isso, a mentira fará o efeito contrário daquele pretendido pelo mentiroso. Em segundo lugar, confrontar as pessoas que você acha que são responsáveis por espalhar os boatos e, lançando mão de suas recém-adquiridas habilidades para detectar mentiras, identificar rapidamente o culpado. Da mesma forma, essas habilidades poderão ajudá-lo a pôr fim a um boato, caso um mentiroso tente lhe passar informações falsas sobre outra pessoa, pois você conseguirá identificar rapidamente a verdade.

No mundo dos negócios, é comum indivíduos ou empresas tentarem obter vantagem. Isso pode ocorrer tanto por meio de informações exageradas como de mentiras deslavadas por parte dos envolvidos. Se você trabalha num setor competitivo em que o lema é "obter vantagem a qualquer custo", é altamente provável que você ou sua empresa sejam alvo dessas falsidades. Como os mentirosos inteligentes misturam informações falsas com fatos reais, se você conseguir diferenciar entre ambos – principalmente nos casos em que algumas informações podem ser exageradas e outras minimizadas para a obtenção de alguma vantagem sobre você ou sua empresa –, poderá proteger seus interesses comerciais. Mais adiante, veremos em detalhes como identificar informações falsas, o que, com a prática, provavelmente você será capaz de fazer de maneira muito mais confiável do que consegue agora.

PARA EVITAR PUNIÇÃO

Evitar punição é um fator motivador muito forte nas mentiras em benefício próprio, que é usado por uma pessoa para se proteger ou não assumir responsabilidade. Assim como em todos os tipos de mentira, as razões para mentir variam de irrelevantes a significativas. Em geral, a gravidade da mentira que uma pessoa contará para evitar punição será diretamente proporcional às consequências associadas ao ato de ser pego mentindo – quanto maiores as consequências, mais elaborada e extrema será a mentira. Por exemplo, alguém que chega atrasado a um encontro com um amigo ou colega pode inventar uma desculpa rapidamente (por exemplo, congestionamento de trânsito), sem muita reflexão, pois a consequência de ser flagrado numa mentira é considerada de pouca importância – apenas certo constrangimento. No entanto, no caso de um assassino que está sendo interrogado pela polícia, o álibi muitas vezes é elaborado, detalhado e bem urdido, pois as consequências de ser descoberto são significativas.

Os exemplos mencionados a seguir demonstram vários graus de motivação para evitar punição:

- Uma criança culpar outra de escrever na parede ou perder uma peça de roupa.
- Inventar uma desculpa para o agente da zona azul.
- Dizer para o dono do carro, para o cônjuge ou a seguradora que não sabe por que o carro está amassado, como normalmente acontece: "Outro carro deve ter batido nele quando estacionei no *shopping center*".
- Falsificar os registros de uma empresa para sonegar imposto.
- Mentir para o marido ou esposa que estava em determinado lugar quando, na verdade, estava com outra pessoa.

As consequências de uma mentira para evitar punição podem ser irrelevantes ou bastante danosas, como seria o caso se alguém o convencesse de que a culpa de determinado ato é de outra pessoa e você, por sua vez, acusasse um inocente.

O primeiro passo para detectar uma mentira é compreender o que está por trás dela. Quando alguém está lhe transmitindo informações, você deveria ser capaz de avaliar rapidamente se, de fato, essa pessoa tem algum motivo para mentir. Se houver, então você precisa ligar o seu "radar antimentira" e começar a procurar sinais verbais (o que a pessoa fala e como ela fala) e sinais não verbais (o que a pessoa faz, como ela age). Ou, se constatar que alguém mentiu para você, o fato de conhecer a categoria da mentira e o que a motivou lhe permitirá entender a mente da pessoa e lhe dará uma vantagem psicológica da próxima vez que encontrar com ela. Daí em diante, você terá uma capacidade muito maior de detectar as mentiras dessa pessoa.

Nós analisamos os motivos das mentiras em benefício de outros (geralmente bem-intencionadas) e das mentiras em benefício próprio (para favorecer ou proteger o mentiroso). Nem sempre há uma linha clara entre essas duas categorias. Compreendendo o que motivou a mentira, você será capaz de diferenciar rapidamente entre ambas. Por exemplo, o que você responderia se seu chefe lhe perguntasse: "Você gosta de trabalhar aqui?". Se você respondesse que sim quando, na verdade, não gosta, muito provavelmente essa seria uma mentira em benefício do outro, com a finalidade de agradar seu chefe. Entretanto, se sua intenção não foi agradar seu chefe, mas sim cair nas graças dele, então essa seria uma mentira em benefício próprio. Obviamente, você também poderia estar dizendo a verdade!

RESUMO DOS PRINCIPAIS PONTOS

Mentir é uma parte normal da comunicação humana e nem sempre deve ser considerado errado.

As pessoas mentem regularmente, cerca de uma vez a cada dez minutos de conversa.

Às vezes é necessário mentir para não ferir os sentimentos alheios e ajudar a interação humana cotidiana. Outras vezes, a mentira pode ser bastante prejudicial às pessoas e aos seus relacionamentos.

Mentiras em benefício de outros são direcionadas para outras pessoas e geralmente são bem-intencionadas. São chamadas também de mentirinhas bobas ou sociais.

Mentiras em benefício próprio podem ser direcionadas para qualquer pessoa, mas seu objetivo é favorecer ou proteger o mentiroso. Embora nem sempre seja o caso, essa categoria de mentira pode ser temível e danosa.

A NATUREZA DA DETECÇÃO DA MENTIRA: SOMOS BONS NISSO – NATURALMENTE?

As crianças aprendem muito cedo (por volta dos 5 anos de idade) que podem saber algo que outra pessoa não sabe e, consequentemente, manipular a mente dessa pessoa ou o conhecimento dos fatos; em outras palavras, aprendem a mentir. Apesar de descobrir essa habilidade numa idade bastante precoce, as crianças são mentirosas inexperientes, e suas mentiras são facilmente descobertas pelos adultos. Entretanto, à medida que, por diversas razões, continuamos a dizer mentiras pela vida afora, tanto em benefício próprio como em benefício de outros, ficamos mais competentes na arte de enganar. Levando-se em consideração que o ser humano mente regularmente (muitas vezes com boa intenção) e, portanto, tem grande experiência no assunto, até que ponto nós conseguimos detectar as mentiras que nos contam?

Quase todo mundo superestima a própria capacidade de detectar mentiras. Você está lendo este livro, cujo objetivo é ensinar essa habilidade; portanto, talvez não se encaixe nesse perfil. No entanto, a maioria das pessoas acha que sabe quando alguém está mentindo, que pode dizer se o parceiro ou amigo íntimo lhe contou uma mentira. Surpreendentemente, em geral isso não é verdade. Existem duas razões principais para isso: confiança e proximidade. Deixe-me explicar.

Devido ao relacionamento próximo com o parceiro ou amigo íntimo, as pessoas acham que conseguirão identificar suas mentiras. Elas partem do pressuposto de que ninguém conhece mais o parceiro do que elas e, portanto, serão capazes de perceber sinais reveladores de mentira. Essa pressuposição é bastante enfraquecida pelo fato de que, por sua própria natureza, os seres humanos querem acreditar em seus entes queridos. É muito difícil manter-se objetivo e calculista num relacionamento próximo e íntimo para poder avaliar se a pessoa está mentindo. Por um lado, você quer acreditar que ela está lhe dizendo a verdade e, por outro, tem certeza que perceberá se não estiver. A combinação desses dois fatores pode fazer com que alguém deixe de perceber sinais claros, sinais esses que costumam ser detectados por pessoas de fora.

Como discutiremos em detalhes mais adiante, para ser um "detector de mentiras" experiente é preciso praticar essas habilidades regularmente. Não é normal os pais suspeitarem o tempo todo dos filhos durante toda a infância. Do mesmo modo, no caso de um casal, não é normal um ficar avaliando e suspeitando do outro o tempo todo. É por essas duas razões que nem sempre miramos o nosso "radar antimentira" na direção daqueles que amamos e, consequentemente, ficamos em desvantagem quando fazemos isso, uma vez que não estamos familiarizados com seus sinais reveladores de mentira. Muitas vezes as pessoas de fora conseguem detectar melhor as mentiras. Por quê? Porque, como não são afetadas pelos fatores de proximidade e excesso de confiança, elas se mantêm objetivas e, portanto, conseguem avaliar com mais exatidão as dicas verbais e não verbais de mentira.

Você já teve oportunidade de presenciar um marido mentir para a esposa ou vice-versa e, no entanto, nenhum dos dois perceber as dicas que para você eram óbvias? Da mesma forma, já ouviu uma pessoa que foi vítima de mentira em um relacionamento dizer: "Eu não esperava por isso"?. Pode ser que, depois de terminar um relacionamento ou romper uma amizade, você tenha refletido sobre algumas coisas e percebido que o outro não foi tão honesto como você pensava quando vocês estavam juntos. A razão é que você tem mais condições de avaliar a fidelidade ou infidelidade do outro após o término da relação, pois a confiança e a proximidade diminuíram ou desapareceram totalmente. É comum que, após o término de um relacionamento por infidelidade de uma das partes, a parte inocente tenha objetividade para ver que havia muitos sinais da traição. A proximidade e a confiança não deixaram que ela visse – o que estava na cara.

Muitos pais acreditam que sempre sabem quando os filhos estão mentindo. Isso acontece quando os filhos são pequenos. Porém, à medida que eles crescem, adquirem prática em mentir, e a partir dos 15 anos de idade é dificílimo saber se estão mentindo. Os pais precisam entender que, embora tenham observado o comportamento dos filhos durante toda a vida deles – até mesmo descobrindo mentiras, o que é fácil quando eles são mais novos (deixando os pais excessivamente confiantes) –, durante todo esse tempo os filhos também observaram o comportamento dos pais e aprenderam com a própria experiência todas as vezes que mentiram para eles e escaparam impunes. Portanto, o comportamento dos filhos se modifica e se desenvolve. Quando chegam à adolescência, eles têm um autêntico banco de dados sobre as maneiras com que manipularam, atormentaram ou mentiram para os pais a fim de obter o que queriam ou evitar punição. Não estou de maneira alguma censurando ou criticando as crianças. Todos nós já passamos por esse processo, e a maioria de nós admitiria que já manipulou ou mentiu impunemente para os pais na infância, sobretudo na adolescência.

Mas nem tudo está perdido, pois os pais ainda serão capazes de detectar a maior parte das mentiras dos filhos de qualquer idade, sempre que houver uma grande carga emocional envolvida. Por exemplo, o filho fez algo muito errado e sente-se bastante culpado, ou então teme as consequências do seu ato (Resposta Emocional). Nesse caso, a grande carga emocional provoca uma Resposta do Sistema Nervoso Simpático, que desencadeia sinais claramente reveladores de mentira, como evitar o contato visual e inquietação. (Resposta Emocional e Resposta do Sistema Nervoso Simpático serão analisadas na página 49, na seção *Respostas à Mentira*). Não importa o quanto estejam acostumados a enganar os pais, os filhos têm muita dificuldade em disfarçar uma mentira que poderá ter uma enorme consequência ou acarretar grande punição. Por outro lado, quando contam uma mentirinha, os filhos sabem que os pais não ficarão muito desapontados ou muito zangados se descobrirem a mentira. Eles sabem que não serão severamente castigados se essa pequena traição for descoberta. Por essas duas razões, a mentira não tem uma grande carga emocional, e os sinais de que o filho mentiu serão extremamente sutis.

Embora os pais tentem ensinar os filhos a dizer sempre a verdade, segundo uma corrente de pensamento da psicologia, é normal os filhos mentirem para os pais durante o seu desenvolvimento como uma forma de adquirir autonomia e independência. Talvez seja verdade; mas, na maioria das vezes, os pais conseguem dizer quando os filhos contam uma "tremenda mentira", o que não deixa de ser um consolo. Mais adiante, revelaremos alguns dos segredos sutis da detecção da mentira, que poderão ajudar os pais em sua interação com os filhos. Se você tem filhos, é melhor esconder este livro deles!

Portanto, se a maior parte das pessoas superestima a própria capacidade de detectar mentiras, qual é a nossa capacidade "natural" – sem treinamento nem habilidades e conhecimentos específicos? Estudos revelaram que, apesar do nosso excesso de confiança, na verdade não somos muito bons nisso.[6] Em geral, a probabilidade de identificarmos uma mentira é de apenas 50%. Não porque mentimos com perfeição;

descobriu-se que 90% das mentiras são acompanhadas por dicas detectáveis, sinais verbais e não verbais que podem ser identificados.[7] Segundo as pesquisas, a capacidade de detectar mentiras não difere quanto ao sexo, idade e condição social.[8] Não importa se somos homens ou mulheres, jovens ou velhos, simplesmente não somos bons detectores de mentira "por natureza".

Parece estranho que tenhamos uma necessidade constante e uma aptidão natural para mentir regularmente como parte normal na nossa interação humana – ora compreensivelmente, ora por maldade, ou então para nos proteger – e, no entanto, tenhamos dificuldade de detectar mentiras. Isso é ainda mais curioso quando levamos em consideração o fato de que uma das coisas que mais prezamos em nossos relacionamentos pessoais é a honestidade. Seria sensato presumir que, como valorizamos tanto a honestidade, deveríamos conseguir identificá-la (ou a falta dela), e que a nossa capacidade de mentir deveria ser compatível com a nossa capacidade de detectar mentiras como parte do processo evolutivo. Porém, não é isso o que acontece.

Então, por que somos melhores em mentir do que em detectar mentiras? O professor Paul Ekman, que inspirou o personagem do dr. Cal Lightman em *Lie to Me,* série de ficção da televisão americana, apresenta algumas interessantes explicações evolutivas para isso.[9] Em poucas palavras, o professor Ekman afirma que nosso ambiente ancestral, formado por pequenos grupos que viviam próximos uns dos outros e desfrutavam de pouquíssima privacidade, não nos preparou para fazer uma avaliação psicológica e descobrir se alguém estava dizendo a verdade. Por exemplo, se acontecesse um caso de adultério num grupo, devido à falta de privacidade esse ato seria fisicamente "descoberto" ou testemunhado por acaso por outros membros, e não pela avaliação psicológica. O professor Ekman acredita também que as consequências de ser pego numa mentira naqueles tempos primitivos eram graves, possivelmente culminando em morte. Em tal ambiente, as pessoas não mentiam com muita frequência por causa das graves consequências que poderiam advir. E as chances de ser pego eram altas devido à falta de privacidade. Ao que parece, nosso passado evolutivo nos ensinou que não precisamos nos esforçar demais para pegar um mentiroso, pois o fato seria "fisicamente descoberto", e que as pessoas não mentem com muita frequência por causa das graves consequências desse ato. Talvez tenha nos ensinado também que, quando realmente mentimos, precisamos mentir muito bem.

No século XXI, vivemos em uma sociedade onde a privacidade é, com toda razão, fortemente protegida e vigiada. Dessa forma, a oportunidade de "descobrir" ou testemunhar por acaso um ato de desonestidade é bastante reduzida. Por exemplo, pense no número exponencialmente crescente de crimes cibernéticos em que a vítima, seja um indivíduo, um banco ou uma instituição, não tem interação pessoal nem mesmo vê o criminoso. Não faz tanto tempo assim, um ladrão de cheques tinha de mostrar o rosto no banco para sacar o dinheiro, o que dava pelo menos uma oportunidade para que o roubo fosse detectado pelos funcionários da instituição. Até mesmo os assaltantes de banco pelo menos tinham de ir à agência que estavam roubando! Hoje em dia, números de cartão de crédito podem ser roubados e o saldo de contas bancárias particulares pode ser transferido para a conta do ladrão instantaneamente – muitas vezes por meio do *laptop* criptografado de algum jovem ladrão virtual que usa os serviços gratuitos da rede Wi-Fi de várias empresas ao redor da cidade, o que o torna irrastreável. Num esforço para recuperar parte do dinheiro, se a vítima desse tipo de crime pedir informações sobre as transações – onde ocorreram, quem teve acesso a determinada rede Wi-Fi corporativa etc. –, logo descobrirá que todos esses dados estão protegidos por políticas e leis de privacidade. Obviamente, esses crimes podem ser investigados pelas autoridades policiais que têm o poder de exigir essas informações. Não sou contra a proteção da privacidade (longe disso), mas esses exemplos demonstram a importância que a nossa sociedade atribui à privacidade pessoal, muito mais do que há milhares de anos. Parece que as coisas mudaram bastante desde a época dos nossos ancestrais, que não precisaram desenvolver suas habilidades de detecção de mentira em decorrência da falta de privacidade.

As consequências da mentira não precisam ser tão graves nem duradouras quanto há milhares de anos. Hoje em dia, mentirosos que foram desmascarados podem facilmente mudar de emprego, trocar de parceiro, trocar o número de telefone, mudar de endereço e até de nome para evitar as consequências da sua fraude. Até mesmo indivíduos que cometem crimes graves (pessoas que usam a mentira como instrumento de trabalho) recebem um bom apoio da justiça e da política de reabilitação do século XXI, por meio de ordens judiciais que muitas vezes proíbem a publicação de seus nomes e permitem que eles mudem de nome e comecem uma vida nova depois de serem soltos, livres de quaisquer consequências de seus atos anteriores. O objetivo desses exemplos não é criticar as políticas de reabilitação, mas sim ressaltar que a sociedade atual é mais propícia à mentira; existem mais oportunidades e menos consequências. Agora, mais do que nunca, precisamos ter boas habilidades de detecção de mentira. Está claro que os seres humanos do século XXI precisam evoluir, e evoluir rapidamente.

Como nos primórdios da humanidade não se mentia com muita frequência e, quando se mentia, era preciso fazê-lo muito bem, além do que nem sempre era necessário detectar mentira devido à falta de privacidade, dá para entender por que hoje em dia achamos que a "corrida armamentista mental" entre mentir e ser capaz de detectar mentiras está sendo ganha "naturalmente" pela mentira. Obrigado, dr. Darwin.

Esse desequilíbrio evolutivo pode ser corrigido com a aquisição de conhecimentos e habilidades práticas para reforçar o arsenal pessoal de detecção de mentira. É isso que você está fazendo neste exato momento ao ler este livro. Adquirindo mais conhecimentos teóricos e aplicando esses conhecimentos, as pessoas conseguem detectar mentiras com um nível de acerto de até 80%. Espero que este livro o ajude a se tornar um verdadeiro "Detector de Mentiras Humano".

Em suma, em decorrência do processo evolutivo, existe um desequilíbrio entre a nossa capacidade de mentir e de detectar mentiras. No entanto, a maioria das pessoas consegue melhorar consideravelmente a capacidade de detectar mentira adquirindo mais conhecimentos e praticando. Isso lhes dá uma vantagem mental em relação àquelas que não desenvolveram essa habilidade. No século XXI, conseguir avaliar se as pessoas estão falando ou não a verdade representa um trunfo tanto nas relações pessoais como profissionais. Você está no caminho certo.

Embora o objetivo deste livro seja aumentar a sua capacidade de detectar mentira, eu não recomendo que você mantenha seu "radar antimentira" ligado o tempo todo. No meu entender, de modo geral as pessoas são boas e, apesar de mentirmos com frequência, a maioria das nossas mentiras é inofensiva. Creio que não é nada saudável nem desejável duvidar ou suspeitar o tempo todo de todo mundo. Essa atitude teria dois efeitos adversos – primeiro, estimularia uma perspectiva mais cética em relação à vida, reduzindo a possibilidade de encontrar relacionamentos íntimos e baseados na confiança e, em segundo, comprometeria a qualidade da detecção de mentira. De acordo com estudos, um dos principais fatores que impedem os pesquisadores de identificar fraudes é que eles costumam abordar os suspeitos com a ideia preconcebida de que estes são culpados, e que basta encontrar as provas. Isso faz com que eles não consigam fazer uma avaliação objetiva e deixem de perceber importantes dicas verbais e não verbais. Um "detector de mentiras" mais competente abordaria cada indivíduo com um ponto de vista puramente objetivo, avaliando os comportamentos verbais e não verbais de maneira clara e calculada em busca de sinais de fraude.

Além disso, acho que quem não fica o tempo todo tentando identificar mentiras ficará muito mais atento e obterá resultados muito melhores quando ligar seu "radar antimentira". Embora eu não acredite que você precise manter seu radar permanentemente ligado, este pode ser um instrumento importantíssimo (quando necessário), que o ajudará a proteger a si próprio e às pessoas com as quais você se preocupa tanto no âmbito pessoal quanto no profissional. É preciso apenas saber quando "ligá-lo".

Já sabemos que não somos, por natureza, bons em detectar mentiras; certamente não tão bons quanto pensamos. Talvez isso seja compreensível no caso do leigo, mas e os membros da sociedade que têm grande interesse em obter uma alta taxa de detecção de mentira, como policiais, juízes, advogados e psiquiatras? Curiosamente, dois estudos independentes e confiáveis realizados com essas categorias específicas revelaram que a taxa de acerto desses profissionais não ultrapassava 50%.[10] Na verdade, um estudo abrangente realizado por Kraut e Poe descobriu que os inspetores da alfândega dos Estados Unidos não detectavam fraude com mais exatidão do que estudantes universitários.[11] Isso é bastante alarmante, levando-se em consideração que essas são as autoridades encarregadas de proteger as fronteiras nacionais e avaliar todas as pessoas que entram no país. Ver estudantes universitários substituindo autoridades alfandegárias na tarefa de controlar as pessoas que entram no país não inspiraria nenhuma confiança, mas, segundo esse estudo, talvez a eficácia fosse a mesma.[12]

O estudo dos professores Paul Ekman e Maureen O'Sullivan testou agentes do serviço secreto, operadores de polígrafo, investigadores, juízes, psiquiatras e estudantes universitários e constatou que o desempenho de um desses grupos superava todos os outros.[13] A taxa de acerto da maioria dos profissionais testados foi de 40 e 60%. Como mencionamos anteriormente, essa é a porcentagem que se espera que uma pessoa tenha "naturalmente". Entretanto, a taxa de acerto de mais da metade dos agentes do serviço secreto americano testados foi superior a 70%.

Uma das explicações para esses profissionais terem obtido melhor desempenho do que todos os outros era que eles trabalhavam no serviço de proteção pessoal (guarda-costas), protegendo importantes autoridades do governo. Nesse trabalho, eles estão sempre esquadrinhando as multidões para tentar identificar comportamentos suspeitos que possam representar ameaça à pessoa que estão protegendo. Ao observar constantemente o comportamento alheio e concentrar-se na identificação de sinais de ameaça, parece que eles desenvolveram a capacidade de detectar sinais não verbais de maquinação. Resumindo, desenvolveram a capacidade de identificar culpa ou, pelo menos, um comportamento suspeito por meio de habilidades de observação. Tive oportunidade de exercer atividades semelhantes e posso afirmar, por experiência própria, que depois de passar algum tempo analisando continuamente as pessoas, há um aumento perceptível na capacidade de avaliar rapidamente a intenção de alguém com base no seu comportamento.

A capacidade de avaliar o comportamento não verbal pode aumentar sobremaneira a exatidão da detecção de mentira. Estudos demonstraram que as pessoas que conseguem detectar mentiras com exatidão baseiam-se em informações diferentes daquelas usadas pelas que não conseguem ser tão precisas. A principal diferença é que as primeiras observam uma combinação de dicas verbais e não verbais para fazer a sua avaliação, enquanto as segundas dão maior ênfase às informações verbais; elas se baseiam no que lhe dizem, para determinar se alguém está mentindo. Quem consegue detectar mentira com exatidão baseia-se em informações verbais e observação.[14]

Existem inúmeros livros sobre linguagem corporal, alguns escritos por professores universitários e profissionais altamente qualificados e outros, por profissionais menos qualificados. Apesar disso, um ponto em comum nesses livros é que todos eles acreditam que o comportamento não verbal (o que é feito) exerce mais influência sobre a comunicação do que o comportamento verbal (o que é dito). Foram realizados diversos estudos para determinar a porcentagem de comportamento verbal e não verbal na comunicação humana. Em alguns desses estudos, a porcentagem de comunicação não verbal chegou a 80%, embora eu ache esse resultado questionável. Um resultado mais realista, que posteriormente foi corroborado por outros estudos, foi encontrado por Albert Mehrabian em uma extensa pesquisa sobre linguagem corporal. Mehrabian descobriu que 55% da comunicação era não verbal (como o corpo se movimentava); 38% era vocal (como as palavras eram ditas) e apenas 7% era puramente verbal (o que era dito).[15] Com base nessa e em outras pesquisas, parece claro que, numa comunicação, nós nos baseamos mais no comportamento não verbal (55%) do que no comportamento verbal (45%). Será que o mesmo se aplica à detecção da mentira?

Como mencionado anteriormente, os funcionários do serviço secreto americano foram os que obtiveram a maior taxa de acerto na detecção da mentira, e uma das razões desse bom desempenho foi sua grande prática na interpretação do comportamento não verbal. Um estudo que comparou portadores de afasia com indivíduos normais sadios reforçou esse conceito. Afasia é um quadro causado por lesão no hemisfério esquerdo do cérebro que leva à perda total ou parcial da capacidade de compreensão da linguagem escrita ou falada. Esse estudo comparou o grupo afásico, que não entende o significado das palavras numa frase e, portanto, tem de se basear apenas no tom de voz e no comportamento não verbal, com um grupo que tinha as funções cerebrais normais.

O grupo normal, obviamente, ouvia o que era dito e como era dito e também observava o comportamento não verbal. O grupo afásico só conseguia se basear nos dois últimos, pois simplesmente não conseguia entender o que era dito. Para surpresa dos pesquisadores, o desempenho do grupo afásico foi significativamente melhor do que o do outro grupo.[16] Para identificar quem estava mentindo, os indivíduos afásicos baseavam-se claramente no comportamento da pessoa e na maneira como ela pronunciava as palavras. Isso elimina qualquer dúvida de que, embora as palavras ditas logicamente sejam importantes, elas não são tão importantes quanto a forma como são ditas, nem quanto a observação do comportamento não verbal de quem fala.

Talvez isso também explique o desempenho medíocre dos juízes no teste mencionado. Num julgamento, as evidências baseiam-se em provas como fotografia, declarações escritas, reconstituições de cenas de crime e o testemunho oral de pessoas que juram dizer a verdade. Além disso, de uma perspectiva probatória, o tribunal está interessado principalmente no que é dito, e não na maneira como é dito. A maneira como algo é dito não constitui evidência, tampouco o comportamento não verbal do depoente, embora isso possa prejudicar sua credibilidade caso ele pareça culpado aos olhos do júri (e do juiz) durante o testemunho. Portanto, talvez seja compreensível o fato de os juízes prestarem atenção especial às provas produzidas diante deles e também ao que é dito diante deles, e não na maneira como algo é dito ou no comportamento não verbal de quem fala. Seja qual for a opinião pessoal de um juiz sobre uma testemunha ou um réu, profissionalmente os juízes fazem a sua avaliação com base nos fatos. Assim sendo, eles não têm experiência em avaliar se alguém está dizendo a verdade com base no comportamento não verbal. Isso explica por que os juízes não se saíram tão bem no teste como a maioria esperava; o desempenho desse grupo foi mais ou menos o mesmo dos leigos.

Vimos que, sem treinamento específico, cidadãos e profissionais comuns não são muito bons em detectar mentira. No entanto, há um pequeno grupo da nossa comunidade que constitui uma exceção à regra – o de indivíduos que têm um talento natural para detectar mentiras.

Eles representam um grupo muito pequeno que consegue detectar mentiras com alto grau de exatidão. Como já dissemos, um indivíduo comum consegue obter uma taxa de acerto de aproximadamente 50%. Com treinamento e prática, essa porcentagem pode subir para cerca de 80%. Já a taxa de acerto daqueles que têm um talento natural para detectar mentiras é de 80% ou mais sem nenhum tipo de treinamento. Esses indivíduos são raríssimos, apenas dois em cada mil pessoas.[17] Em um extenso estudo, o dr. O'Sullivan descobriu que esse grupo era composto igualmente por homens e mulheres com vários níveis de escolaridade. Isso é encorajador, pois não importa se você é homem ou mulher, se tem alta ou baixa escolaridade, você poderá se tornar um bom "detector de mentiras".[18]

Diversas teorias tentam explicar por que esses indivíduos têm esse grau naturalmente elevado de exatidão. Segundo uma delas, eles foram criados em famílias desestruturadas ou violentas e desenvolveram uma grande capacidade de identificar ameaças por meio de comunicação não verbal; outra teoria afirma que essa habilidade foi desenvolvida durante a infância por meio do estudo sistemático de rostos e reações das pessoas por uma motivação natural ou por algum tipo de interesse, como desenhar retratos. Não importa como essa aptidão foi adquirida, um ponto em comum na maioria dos estudos é que a capacidade de detecção de mentira desses indivíduos baseia-se, sobretudo, em dicas não verbais, em geral faciais. Ao que parece, esse seleto grupo tem uma capacidade altamente desenvolvida de detectar microexpressões e outros sinais bastante sutis que passam despercebidos por nós, meros mortais. Microexpressões são expressões faciais extremamente breves (1/25 de segundo) que demonstram uma emoção. Essas microexpressões serão analisadas de forma mais detalhada no próximo capítulo, na página 114.

Não existem provas conclusivas de que os indivíduos que têm o dom de detectar mentiras tenham nascido com essa capacidade, e não aprendido e desenvolvido suas habilidades ao longo do tempo. O dr. O'Sullivan descobriu que eles são motivados. Eles querem acertar e praticam essa habilidade constantemente, como os atletas.[19] Isso deve servir como estímulo, pois confirma a teoria de que conhecimento e prática realmente aumentam a capacidade de detectar mentiras.

Se você já tem um talento natural para detectar mentiras, este livro não lhe será de grande valia. Porém, se você quiser adquirir essa habilidade, estudo e prática intensivos o colocarão no rumo certo. Esse dom é raríssimo. No entanto, tenho certeza de que todos os meus professores enquadravam-se nessa categoria, pois eles simplesmente pareciam saber quando eu fazia alguma coisa errada. Eles descobriam tudo o que eu fazia, o que me parecia bastante injusto na época! Se você tem a infelicidade de ter um filho com esse dom, provavelmente pode parar de contar historinhas de Papai Noel e Coelhinho da Páscoa; embora talvez queira pedir a ajuda deles no seu próximo jogo de pôquer!

Mentira em benefício de outros: bem-intencionada – "Essa roupa me deixa muito bunduda?".

Mentira em benefício próprio: para evitar constrangimento – "Minha festa de aniversário está o máximo. Todo mundo veio."

Mentira em benefício próprio: para causar boa impressão – "Meu outro carro é um Lamborghini."

Mentira em benefício próprio: para obter vantagem – "Sim, tenho muita experiência nesse setor."

RESUMO DOS PRINCIPAIS PONTOS

Obviamente, somos muito melhores em contar mentiras do que em detectá-las. Sem treinamento específico, a taxa de detecção de mentira da maioria das pessoas, inclusive daquelas que trabalham em áreas em que essa habilidade é importantíssima, gira em torno de 50%.

Com conhecimento específico (fornecido por este livro) e prática (essa fica por sua conta), essa porcentagem pode chegar a 80%.

Quanto mais você usar o seu "radar antimentira", mais aperfeiçoará a sua capacidade. Entretanto, você não quer que ele fique ligado o tempo todo – se souber quando deve ligá-lo, ficará mais atento quando realmente usar essas habilidades.

Algumas pessoas têm um talento natural para detectar mentiras, sem treinamento específico. Essas pessoas conseguem obter uma taxa de acerto de pelo menos 80%.

A maioria das pessoas acredita que consegue dizer se o marido, a esposa, o filho ou o amigo íntimo está mentindo. Geralmente isso não é verdade, devido a dois fatores principais: excesso de confiança (conhecemos bem aquela pessoa e, portanto, seremos capazes de identificar sinais reveladores) e proximidade (os seres humanos costumam acreditar nas pessoas com as quais eles têm um vínculo afetivo). Esses dois fatores levam à perda de objetividade, o que impede que a pessoa perceba sinais claros que, de outra forma, ela perceberia.

Estudos demonstraram que 55% da comunicação é não verbal (como o corpo se movimenta/reage); 38% é vocal (como as palavras são ditas) e apenas 7% é puramente verbal (as palavras ditas). Embora as palavras ditas não possam ser totalmente ignoradas na detecção da mentira, a maneira como elas são ditas e a forma como o corpo da pessoa se movimenta/reage durante a comunicação é muito mais importante.

Não podemos nos basear apenas naquilo que é dito. Pessoas com boa capacidade de detectar mentiras baseiam-se no que lhes dizem e no que observam.

Segunda Parte

Como Detectar Mentiras

Se você terminou de ler a *Primeira Parte* deste livro, já tem uma boa compreensão da natureza e motivação da mentira. Na *Segunda Parte,* vai adquirir um pouco mais de conhecimentos teóricos, antes de passar para os aspectos práticos da detecção de mentira – a parte divertida!

Se você pulou a *Primeira Parte* e está começando a leitura agora, a *Segunda Parte* apresentará um pouco de teoria bem básica, porém essencial, antes de entrar nos aspectos puramente práticos. Na *Primeira Parte*, dissemos que você precisa ser capaz de avaliar rapidamente se a pessoa que está lhe dando uma informação tem alguma motivação para mentir. Se tiver, você precisa ligar seu "radar antimentira" e começar a procurar os sinais verbais (o que a pessoa diz e como diz) e não verbais (o que a pessoa faz, como ela age).

Se você é impaciente (como eu), tente resistir à tentação de ir diretamente para a seção *Sinais de Mentira*, na *Segunda Parte*, pois a teoria apresentada antes dessa seção aumentará sobremaneira a sua capacidade de se tornar um verdadeiro detector de mentiras.

RESPOSTAS À MENTIRA

Depois que alguém conta uma mentira, ocorre uma série de respostas. Algumas dessas respostas são nervosas e automáticas, enquanto outras são iniciadas conscientemente pela pessoa que mente para encobrir a farsa. Se você compreender essas respostas, poderá identificar os sinais que uma pessoa exibe consciente ou inconscientemente ao mentir.

De maneira geral, após uma mentira existem três fases de resposta:

- Fase 1: Resposta emocional.
- Fase 2: Resposta do Sistema Nervoso Simpático.
- Fase 3: Resposta cognitiva – uma contramedida.

FASE 1: RESPOSTA EMOCIONAL

Quando uma pessoa conta uma mentira, ela entra na fase de Resposta Emocional; a percepção do que acabou de fazer. Se a mentira for irrelevante, se ela já tiver contado essa mentira diversas vezes impunemente ou for uma grande mentirosa, haverá apenas uma discreta Resposta Emocional. Consequentemente, as duas respostas seguintes (fases 2 e 3) também serão bastante discretas. Nesse caso, é difícil, mas não impossível, detectar a mentira. Entretanto, quando uma pessoa conta uma tremenda mentira, uma mentira que ela ainda não contou ou que lhe acarretará grandes consequências se for descoberta, o grau de Resposta Emocional será significativo. Quando percebe o que acabou de fazer e as possíveis consequências desse ato, ela manifesta sentimento de culpa, medo, estresse e, às vezes, agitação. Nesse caso, o mentiroso passa rapidamente para a fase dois.

FASE 2: RESPOSTA DO SISTEMA NERVOSO SIMPÁTICO

Resposta do Sistema Nervoso Simpático, como o nome indica, é a reação do sistema nervoso à fase de Resposta Emocional. Se o mentiroso estiver sentindo culpa, medo, estresse ou nervosismo em consequência da mentira que acabou de contar, seu sistema nervoso reagirá de acordo com seu instinto natural de "luta ou fuga". Instintivamente, o organismo dele libera adrenalina, que se manifestará de algumas maneiras, às vezes chamadas de "dicas de mentira" ou "sinais de mentira", que podem ser observadas pelo "Detector de Mentiras Humano". Alguns exemplos claros são tamborilamento dos dedos, inquietação, fala muito rápida e movimentos rápidos dos olhos. Se o mentiroso entrar nessa fase, você deve focá-lo muito bem na tela do seu "radar antimentira".

FASE 3: RESPOSTA COGNITIVA – UMA CONTRAMEDIDA

Resposta cognitiva é o reconhecimento, pelo mentiroso, da Resposta do Sistema Nervoso Simpático. Trata-se de uma contramedida mental e física destinada a disfarçar os sinais que ele acha que vão denunciá-lo. Por exemplo, quando percebe que está irrequieto ou com as mãos trêmulas, o mentiroso tenta exercer algum controle sobre esses sinais, disfarçando-os. Ele pode fazer isso segurando uma canela ou escondendo as mãos nos bolsos ou sob a mesa. Essas são contramedidas rudimentares que devem fazer disparar o seu "radar antimentira".

O mentiroso geralmente tem consciência dos sinais mais óbvios e tenta controlá-los. Porém, o seu poder de controlar esses sinais é limitado por sua capacidade cognitiva de monitorar as mudanças que ocorrem no próprio comportamento. Alguns sinais de mentira são mais facilmente controlados e monitorados que outros. Por exemplo, a inquietação pode ser facilmente monitorada e controlada pelo mentiroso numa tentativa de ocultar esse sinal. Mas existem outros sinais de mentira muito difíceis de serem monitorados, como dilatação da pupila, aumento da frequência respiratória e voz trêmula.

A razão disso é que existem diversos canais nervosos de comportamento no corpo humano, que conduzem informações para dentro e para fora do cérebro. Um canal com grande capacidade de enviar e receber informações facilita o controle e monitoramento desse comportamento em particular por parte do mentiroso. Esse é um canal bastante condutor, através do qual as informações que entram e saem do cérebro fluem livremente e com rapidez, dando um bom *feedback* ao mentiroso e permitindo que ele tenha um grau considerável de controle sobre esse sinal de mentira. Por exemplo, movimentar os dedos é um comportamento bastante comum no cotidiano e, consequentemente, um canal treinado (e, portanto, altamente condutor) que permite aos mentirosos um alto grau de controle; por esse motivo, os mentirosos escondem as mãos, seguram a mesa ou uma caneta para esconder esse sinal. Em suma, os mentirosos percebem que seu comportamento mudou e que começaram a movimentar os dedos com mais rapidez do que o fariam normalmente, e sua Resposta Cognitiva consiste em diminuir ou ocultar esses movimentos, às vezes segurando a mesa ou os braços da cadeira.

O grau de "condutibilidade" dos canais nervosos de comportamento varia. No outro extremo do espectro do exemplo anterior estão os canais com pouca ou nenhuma condutividade, que fornecem pouco *feedback* e não permitem que a pessoa consiga disfarçar as mudanças que ocorrem em seu comportamento depois de contar uma mentira. Por exemplo, um dos sinais de que alguém está mentindo é o aumento do tamanho da pupila (dilatação da pupila). Nem sempre as pessoas tentam controlar o tamanho da pupila, se é que tentam, pois esse é um canal muito pouco praticado, que não tem condutividade e não permite muito controle. Portanto, embora nem sempre seja prático (a menos que seja registrado em vídeo), esse é um dos bons sinais que se deve procurar para verificar se alguém está mentindo, uma vez que é praticamente impossível que o mentiroso consiga escondê-lo.

Resumindo, os canais nervosos que fornecem um rápido fluxo de informações permitem que os mentirosos controlem a "dica de mentira" com mais facilidade, enquanto os canais com menor condutividade os impedem de monitorar com precisão as mudanças que ocorrem no seu comportamento quando eles contam uma mentira.

Como um "Detector de Mentiras Humano", você não deve menosprezar os sinais de canais altamente condutores como os dedos, as mãos e a velocidade e qualidade da fala, mas deve se concentrar principalmente nas áreas de menor condutividade, como os membros inferiores do corpo, os movimentos oculares e as microexpressões. (Estas últimas serão explicadas em mais detalhes na página 114.)

A razão de manter um monitoramento constante, em vez de menosprezar os sinais de mentira de um canal altamente condutor (como o movimento dos dedos), é que, qualquer que seja a eficácia e condutibilidade desses canais, nas circunstâncias certas o mentiroso também poderá ter dificuldade de monitorá-los. Isso porque ele tenta monitorar todos os canais e controlar todos os sinais possíveis de mentira, ao mesmo tempo que procura manter uma conversação lógica e convincente. Isso provoca um grande aumento da carga cognitiva no cérebro (sobrecarga mental), podendo acarretar uma perda de controle por parte do mentiroso, que pode ver um sinal de mentira, que em outras circunstâncias seria facilmente controlado, "escapar" e se tornar visível. Isso ocorre porque o ser humano tem apenas certo grau de poder sobre a mente e só consegue executar um pequeno número de tarefas ao mesmo tempo.

Podemos pensar nisso em termos monetários. Imagine que os seres humanos têm uma capacidade cerebral equivalente a $100,00 em qualquer dado momento. O mentiroso precisa gastar esse dinheiro de maneira bastante criteriosa para não ser detectado. Por exemplo:

- $5,00 são gastos em coisas de rotina que não estão relacionadas com a mentira, como reação a ruídos, sede e temperatura corporal.
- $5,00 podem ser gastos para garantir que ele não pisque demais.
- $10,00 podem ser gastos no controle das mãos e dos braços.
- $10,00 podem ser gastos no controle dos membros inferiores.
- $10,00 podem ser gastos para garantir que ele olhe nos olhos do acusador com sinceridade.
- $10,00 podem ser gastos no controle da velocidade da fala e na maneira que ele pronuncia as palavras.
- $10,00 podem ser gastos em pensamentos estressantes associados às consequências que ele enfrentará se sua mentira for descoberta.
- $40,00 precisam ser gastos no processamento das informações recebidas e na formulação de uma resposta falsa verossímil para esconder a mentira.

  TOTAL = $100,00

Esses valores variam dependendo das circunstâncias e do indivíduo envolvidos. O exemplo acima ressalta que a pessoa está usando 100% da sua concentração. Se, para ocultar uma mentira, ela tiver de responder a várias perguntas, lembrar-se de mentiras anteriores e ficar o tempo todo inventando novas informações que sejam coerentes com falsas informações prévias, terá de acrescentar $40,00. Considerando-se que só temos o equivalente a $100,00 de concentração, o dinheiro precisará ser transferido de algum outro lugar, e isso se dará em detrimento de outro canal.

Por exemplo, alguém faz uma pergunta particularmente difícil a um mentiroso, uma pergunta muito difícil de responder rápido com naturalidade, e os $40,00 de concentração não são suficientes. O mentiroso, então, olha para baixo e focaliza um objeto a fim de ganhar um pouco de tempo para pensar antes de responder à pergunta. O que realmente aconteceu é que o mentiroso atingiu uma sobrecarga cognitiva, a parcela de $40,00 está "zerada". Ele precisa equilibrar as contas transferindo $10,00 da parcela "garantir que ele olhe nos olhos do acusador com sinceridade", de modo que sobre um pouco de dinheiro para formular uma resposta verbal apropriada. Isso revela duas coisas para quem está tentando detectar uma mentira: primeiro, que a pessoa deixou de manter um contato visual sincero (um "sinal de mentira") e, segundo, que ela fez uma pausa significativa antes de responder à pergunta (outro "sinal de mentira"). Quem diz a verdade e não precisa monitorar os vários canais pode chegar a ter $80,00 de concentração disponíveis para processar as informações contidas numa pergunta e formular uma resposta apropriada. A resposta de alguém que diz a verdade parece tranquila e natural, porque não houve sobrecarga cognitiva. Há um equilíbrio saudável em todas as contas – o que comprova que falar a verdade pode ser um bom investimento!

Quanto mais alguém mente (ao responder a várias perguntas), mais tem de se concentrar no que está dizendo – e menos capacidade tem de se monitorar e se controlar. Se a pessoa concentrar toda a sua atenção no monitoramento e controle das dicas não verbais, ela não conseguirá ser convincente. Ou a mentira não terá sentido lógico ou parecerá pouco convincente, pois o mentiroso atingiu uma sobrecarga mental.

Representações de sobrecarga mental são vistas com frequência em filmes sobre crimes, em que os detetives fazem uma série de perguntas difíceis para o suspeito, uma atrás da outra. Isso aumenta a pressão de tal maneira que o suspeito não consegue continuar a mentir e admite alguns fatos ou confessa o crime. Embora isso seja ficção cinematográfica, o princípio do que está sendo demonstrado é claro. O suspeito não consegue responder a várias perguntas rapidamente com naturalidade (pois cada uma delas precisa ser elaborada) e, ao mesmo tempo, controlar os movimentos corporais para parecer inocente, pois a carga cognitiva é excessiva. Ele fica "mentalmente falido".

Quando você quiser descobrir se uma pessoa está mentindo, faça várias perguntas a ela e tente provocar uma "falência mental"! Se conseguir, as informações verbais dela serão ilógicas, sem sentido algum, ou ela exibirá sinais claros de mentira, como ficar inquieta, mudar repentinamente de assunto ou fazer uma pausa prolongada antes de responder.

RESPOSTAS À MENTIRA

Fase 1. Resposta emocional.

Percepção das consequências do ato de mentir. O mentiroso manifesta sentimento de culpa, medo, estresse e, às vezes, agitação. Há poucos sinais visuais nessa fase.

Fase 2. Resposta do Sistema Nervoso Simpático.

O corpo fica no modo de "luta ou fuga". O sistema nervoso reage ao sentimento de culpa e exibe um grupo de "sinais de mentira" – o mentiroso desvia o olhar, começa a balançar uma perna e a tamborilar os dedos da mão.

Fase 3. Resposta cognitiva.

Uma contramedida destinada a esconder os sinais de mentira. O mentiroso segura a mesa para disfarçar a inquietação, trava os tornozelos na perna da cadeira para deter os movimentos e volta a olhar o interlocutor nos olhos.

Fase 1

Fase 2

Fase 3

RESUMO DOS PRINCIPAIS PONTOS

De maneira geral, após uma mentira existem três fases de resposta:

Fase 1. Resposta emocional: percepção, por parte do mentiroso, da falsidade que acabou de dizer, o que provoca sentimento de culpa, medo, estresse e, às vezes, agitação. O grau do impacto que isso terá sobre ele e seu comportamento é determinado principalmente pela magnitude das consequências de ser pego numa mentira. Por exemplo, uma mentirinha boba provoca apenas um pequeno grau de emoção. Um caso sério, como infidelidade, crime ou mentira para fechar um contrato de negócios ou conseguir um emprego, geralmente produz um aumento perceptível dessas emoções, tornando-as mais fáceis de ser detectadas.

Fase 2. Resposta do Sistema Nervoso Simpático: o impacto do sentimento de culpa, medo, estresse ou agitação sobre o mentiroso, que produz "sinais de mentira", como tamborilar os dedos na mesa, ficar inquieto, falar depressa demais, evitar o contato visual e movimentar os olhos rapidamente.

Fase 3. Resposta cognitiva: uma contramedida usada pelo mentiroso para ocultar os "sinais de mentira". Isso é feito mais facilmente por meio de canais altamente condutores (áreas do corpo que o mentiroso controla facilmente, isto é, as mãos e os olhos). Essas áreas não devem ser menosprezadas. No entanto, é mais produtivo concentrar-se em áreas de menor controle, como tamanho da pupila, movimentos da parte inferior do corpo e microexpressões.

Sequência de respostas à mentira: se a resposta emocional for medo (fase 1) e fizer com que o mentiroso comece a bater o pé de leve (fase 2), ele tentará esconder o movimento da perna (sob a mesa ou pressionando as pernas contra a cadeira), para disfarçar a culpa (fase 3).

Mentalmente, só temos $100,00. Imagine que os seres humanos têm uma capacidade cerebral equivalente a $100,00 em qualquer dado momento. O mentiroso precisa gastar essa quantia com bastante critério para não ser detectado. Se ele investir demais para esconder os sinais de mentira revelados pelos movimentos corporais, suas respostas não farão nenhum sentido. Por outro lado, se suas respostas forem sensatas, pode ser que ele não tenha investido o suficiente para esconder os movimentos corporais que denotam culpa. Se você pedir mais esclarecimentos, poderá causar uma "falência mental", revelando uma série de sinais claros de mentira.

PROCESSO DE DETECÇÃO DE MENTIRA

Quase todo mundo tem alguma ideia dos indícios de que alguém possa estar mentindo; por exemplo, inquietação, sudorese e redução do contato visual. Embora esses sintomas sejam válidos, um nível de conhecimento apenas básico sobre detecção de mentira pode levar a conclusões extremamente imprecisas. Por exemplo, como já dissemos, aumento do contato visual também pode ser sinal de mentira – a pessoa sabe que mentiu e tenta parecer sincera. Portanto, o conhecimento ou pressuposição de que menor contato visual é um indicador infalível de mentira poderia induzir ao erro. Essa falta de conhecimento preciso pode levar alguém a suspeitar que pessoas inocentes estejam mentindo e que mentirosos sejam inocentes. Infelizmente, em relação ao assunto de detecção de mentira, a verdade é que conhecimento superficial pode ser perigoso.

Esse foi um dos motivos que me levaram a escrever este livro. Se as pessoas estão interessadas em se tornar um verdadeiro "Detector de Mentiras Humano", eu gostaria de lhes dar uma oportunidade de fazer isso com a maior exatidão possível. Tenho certeza de que você sabe o quanto é desagradável ser acusado de algo que não se fez. A melhor maneira de evitar que isso aconteça é aplicando um processo rigoroso, porém simples, na hora de detectar mentiras.[20] Eu dividi esse processo em cinco etapas básicas para criar o Modelo de Detecção de Mentira, que pode ser aplicado a todas as situações. No final do livro há um resumo desse modelo e da sua aplicação. As cinco etapas do modelo são as seguintes:

1. **M**otivação: A pessoa tem motivação para mentir?
2. **F**aça perguntas de controle: Para estabelecer um padrão de comportamento.
3. **F**aça perguntas capciosas: Perguntas que deem margem a mentiras.
4. **I**ndicadores: Existem sinais de mentira que ocorrem em grupo?
5. **V**erifique novamente: Reavalie.

Aplicando esse processo simples, junto com seu conhecimento dos sinais de mentira (tratados no próximo capítulo, *Sinais de Mentira*), você estará avançando a passos largos para se tornar um verdadeiro "Detector de Mentiras Humano".

PRIMEIRA ETAPA: MOTIVAÇÃO

Avalie se a pessoa tem motivação para mentir. Como já vimos, as motivações são: evitar constrangimento; causar boa impressão; obter vantagem; e evitar punição. Para obter melhores resultados deve-se manter a objetividade; portanto, é importante lembrar de que, apesar de ter motivação para mentir – a pessoa pode estar dizendo a verdade. Mesmo assim, essa é uma etapa importante, principalmente se você identificar a motivação "para obter vantagem" ou "evitar punição", que pode produzir mentiras danosas.

SEGUNDA ETAPA: FAÇA PERGUNTAS DE CONTROLE – ESTABELEÇA UM PADRÃO DE COMPORTAMENTO

Além de não ser uma ciência exata, a detecção de mentira é difícil de obter com alto grau de exatidão devido às inúmeras variações no comportamento humano. Por exemplo, um dos aspectos mais comuns que indicam que alguém está mentindo é a sua incapacidade de olhar nos olhos do interlocutor. Isso pode ser verdade. Entretanto, em algumas culturas os mentirosos fazem mais contato visual "naturalmente". Além disso, o fato de alguém olhar nos olhos do interlocutor não indica necessariamente inocência. Como já dissemos, essa poderia ser uma contramedida deliberada e adotada única e exclusivamente com o intuito de passar a impressão de inocência. Para piorar a situação, evitar contato visual também é um comportamento normal em alguns traços de personalidade, como, por exemplo, timidez, nervosismo ou insegurança. Além do mais, a própria circunstância pode fazer com que alguém evite contato visual, como nos casos em que existe uma disparidade significativa no grau de autoridade entre duas pessoas, como um professor e uma criança pequena. Nesse caso, não importa se a criança é inocente ou não, crianças pequenas têm dificuldade de olhar nos olhos do professor.

Então, será que precisamos entender todos os traços de personalidade e todas as reações culturais esperadas em todas as situações para detectar mentiras? De maneira alguma; há um modo muito mais simples e mais preciso. Quando você liga o seu "radar antimentira" para ver se alguém está mentindo, a primeira coisa que tem de fazer é estabelecer um padrão de comportamento. Para isso, precisa observar as respostas verbais e não verbais às perguntas que a pessoa responde com sinceridade. Em outras palavras, precisa fazer perguntas cujas respostas você já sabe ou sabe que serão respondidas com a verdade. Essas são Perguntas de Controle.

Enquanto a pessoa está respondendo a essas Perguntas de Controle com franqueza, você observa vários de seus comportamentos. Em seguida, conduz a conversa para uma área na qual você acha que ela poderá mentir e observa novamente as características comportamentais. Depois disso, compara o comportamento verbal e não verbal das respostas que você acha que foram sinceras com o das respostas que você acha que não foram sinceras. Se você observar mudanças em qualquer um dos sinais de mentira (que serão analisados detalhadamente mais adiante), terá condições de identificar se a pessoa está mentindo; ou certamente saberá que essa é uma área que requer uma maior sondagem.

Os operadores de polígrafo usam a técnica de Perguntas de Controle há muitos anos. O polígrafo, ou detector de mentiras, é conectado fisicamente à pessoa que está sendo interrogada para monitorar atividades fisiológicas como frequência cardíaca, padrão respiratório e resposta galvânica da pele, que é a atividade da glândula sudorípara. O polígrafo monitora com eficácia a resposta de "luta ou fuga" às perguntas. O operador faz Perguntas de Controle; aquelas cujas respostas ele já sabe, como nome, sexo e endereço. Enquanto isso, observa os gráficos do equipamento que estão registrando as reações fisiológicas. Em seguida, faz perguntas diretas sobre uma atividade suspeita e observa se houve alguma alteração nas respostas fisiológicas registradas pelo polígrafo. Se houver um contraste significativo entre as respostas às perguntas sabidamente corretas e as respostas que se suspeita serem mentira, o operador concluirá que a pessoa está mentindo.

Eu não acredito que um polígrafo seja um detector de mentiras altamente preciso, e existem algumas táticas bastante simples que podem ser usadas para "driblá-lo". Porém, o processo adotado durante o exame do polígrafo é válido, processo esse que deveríamos reproduzir como detectores de mentira humanos. O primeiro passo nesse processo consiste em estabelecer um padrão de comportamento (com base nas Perguntas de Controle) e comparar essas respostas com as respostas às perguntas que se suspeita serem mentirosas.

Para estabelecer um padrão de comportamento, você só precisa fazer perguntas cujas respostas já sabe, ou às quais a pessoa, por uma questão de lógica, responderia com a verdade. Enquanto faz isso, você observa os sinais de mentira, como desviar o olhar, piscar com maior frequência e movimentar as mãos. Vale realmente a pena estabelecer um sólido padrão de comportamento; desse modo, quando você fizer perguntas às quais suspeita que a pessoa poderá responder com uma mentira, uma mudança de comportamento ficará bastante clara. Portanto, é melhor fazer perguntas e observar sem pressa.

Perguntas Sutis de Controle que se encaixam naturalmente numa conversa são as melhores, para que a pessoa não perceba que se trata de um teste. Por exemplo: "Você ainda mora em Johnsonville?" ou "Você ainda tem aquele Toyota branco?" (quando você conhece a pessoa). Recomendo também que peça para ela se lembrar de situações nas quais você estava presente, para que possa julgar a exatidão da resposta. Por exemplo: "Lembra-se quando fomos àquele bar? Foi lá que você conheceu Mike?" ou "Jenny, lembra-se da festa de despedida do Robert no escritório? Você se lembra onde comprou o bolo?". Essa é a pergunta ideal se a "Jenny" tiver sido a responsável pelo bolo, pois ela se lembrará perfeitamente. Como mencionado na seção *Movimentos Oculares*, da página 87, os olhos podem indicar se as pessoas estão se lembrando de um acontecimento ou inventando uma história. Dessa forma, uma pergunta dessas fará com que ela se lembre com exatidão do que ocorreu, e você poderá observar os movimentos oculares dela.

É melhor treinar fazer Perguntas de Controle em determinadas ocasiões, como, por exemplo, durante uma reunião, uma festa ou almoço de negócios. Desse modo, haverá uma coerência entre o estado de espírito da pessoa e suas respostas, sejam elas sinceras ou não. Não é muito confiável fazer Perguntas de Controle ao longo de vários dias, pois o estado de espírito e a memória das pessoas, bem como os elementos externos de distração, podem mudar. Não é necessário fazer todas as Perguntas de Controle uma seguida da outra – apenas no mesmo ambiente em que você se propõe a fazer as Perguntas Capciosas – para que possa estabelecer um contraste confiável.

Sempre aconselho as pessoas a serem pacientes e não terem pressa para estabelecer um padrão de comportamento, pois essa etapa é importantíssima para poder detectar mentira com exatidão e um bom investimento do seu tempo – pois fará com que você perceba muito mais claramente os sinais de mentira.

TERCEIRA ETAPA: FAÇA PERGUNTAS CAPCIOSAS – PERGUNTAS QUE DEEM MARGEM A MENTIRAS

Depois de observar as respostas dadas a várias Perguntas de Controle, está na hora de passar para o que interessa! Para identificar um mentiroso, primeiro é preciso dar oportunidade para a mentira, ou seja, você precisa fazer perguntas que deem à pessoa a chance de responder com sinceridade ou mentir – a escolha é dela. Um verdadeiro "Detector de Mentiras" tem de ficar à vontade para fazer perguntas com naturalidade, como num bate-papo normal.

Se a pessoa desconfiar que você está fazendo perguntas com o intuito de identificar uma mentira, ela conseguirá adotar um tipo de contramedida para tentar esconder a própria culpa, como olhar diretamente nos seus olhos. Você não vai querer dar chance para que ela arme suas defesas, portanto é melhor fazer perguntas com naturalidade durante a conversa. Às vezes isso não é possível ou desejável, e você poderá, depois de estabelecer um parâmetro confiável, decidir fazer perguntas bastante diretas ou questionar a pessoa abertamente.

Quando questionar alguém, saiba que, mesmo que essa pessoa seja inocente, ela apresentará uma mudança de comportamento diante da sua atitude, e que talvez isso não seja indicação de culpa. Ela só está sendo defensiva ou hostil porque sua integridade está sendo questionada. Dessa forma, quando suspeitar que alguém está mentindo, a melhor coisa é fazer perguntas sutis enquanto continua a procurar sinais de fraude. Entretanto, se você decidir questionar a pessoa, saiba que o fato de ocorrer alguma mudança no comportamento dela pode não ser consequência de culpa. Levando isso em consideração, se você estabeleceu um padrão confiável de comportamento e observou sinais relevantes de mentira, ainda será capaz de identificar a diferença entre uma pessoa defensiva e uma culpada.

Na minha opinião, uma estratégia inteligente depois de descobrir que alguém está mentindo é não deixar que a pessoa saiba que você percebeu isso. Essa estratégia evitará que o mentiroso modifique seu comportamento da próxima vez que vocês se falarem – que use contramedidas, pois ele achará que pode mentir para você à vontade. Saber identificar quando alguém está mentindo poderá lhe dar uma vantagem mental ou maior proteção no futuro.

QUARTA ETAPA: INDICADORES – EXISTEM SINAIS DE MENTIRA QUE OCORREM EM GRUPO?

Como existem inúmeras circunstâncias e os traços de personalidade variam de pessoa para pessoa, não existe um sinal de mentira isolado no qual possamos nos basear para descobrir se alguém mentiu. Para ser um verdadeiro "Detector de Mentiras Humano" é melhor procurar "grupos" de sinais de mentira, e não um único sinal. Confiar em um único sinal pode produzir um resultado indesejável. Por exemplo, eu disse que dilatação da pupila pode ser sinal de mentira. No entanto, vários fatores podem causar dilatação da pupila, até mesmo sensação de prazer e sentimento de atração. Seria lamentável se uma leitora deste livro decidisse que a dilatação da pupila, por si só, diz tudo. Imagine se o marido dela chegasse em casa com uma garrafa de vinho na mão, planejando uma noite romântica, e dissesse "Eu te amo" (exibindo pupilas dilatadas) e fosse acusado de mentiroso? Lá se foi a noite romântica!

É muito mais seguro procurar um grupo de sinais em rápida sucessão. Se isso ocorrer em resposta a uma pergunta, ligue o seu "radar antimentira".

QUINTA ETAPA: VERIFIQUE NOVAMENTE – REAVALIE

Depois de ter estabelecido um padrão confiável de comportamento, ter feito Perguntas Capciosas sobre a atividade suspeita e observado um grupo de sinais, está na hora de passar para a fase de reavaliação. O objetivo dessa fase é confirmar o "grupo de sinais" que você observou. Para isso, você precisa fazer mais algumas Perguntas de Controle e, depois, a mesma Pergunta Capciosa que desencadeou o grupo de sinais observado, ou outra bastante semelhante. A melhor maneira de fazer isso é reformulando a Pergunta Capciosa inicial e refazendo-a da maneira mais natural possível. Quando fizer isso, procure novamente os sinais de mentira que não estavam presentes durante as Perguntas de Controle. Nessa altura, você está tentando obter a mesma resposta, ou uma resposta semelhante, para uma pergunta bastante parecida. Por exemplo, depois de fazer a Pergunta Capciosa inicial você observou que a pessoa imediatamente desviou o olhar e mudou o tom de voz. Ao reformular a pergunta, preste muita atenção no olhar e no tom de voz dela para ver se observa essas mudanças novamente. Se observar, é altamente provável que ela esteja mentindo. Talvez você queira também observar outros sinais de mentira para maior confirmação, como microexpressões e omissão de informação (que serão explicadas em mais detalhes nas páginas 114 e 145).

Situação hipotética: depois das Perguntas de Controle, você faz a seguinte pergunta ao vendedor: "Esse é o menor preço que você pode fazer nesse carro?". Ele começa a piscar com mais frequência, esfrega o nariz e responde: "Sim, esse é o menor preço que posso fazer". Em seguida, você faz outras perguntas sobre o carro. Podem ser perguntas do tipo controle, que o vendedor responderá sinceramente. Por exemplo, você lhe pergunta: "Esse modelo vem com teto solar?" e "Quantos quilômetros ele faz por litro de combustível?", enquanto observa a frequência com que ele pisca e esfrega o nariz. Depois de fazer mais algumas perguntas gerais, você faz a Pergunta Capciosa: "Então, o menor preço que você pode fazer é $35 mil? Achei que você poderia fazer um preço melhor". Se o vendedor coçar o nariz outra vez e começar a piscar com maior frequência, é muito provável que esteja mentindo. Seu próximo passo será dar a entender que vai pesquisar em outra concessionária ou que gostaria de falar com o gerente para ver se consegue fechar por um preço menor – pois você acha que é possível!

A reavaliação é uma boa medida de segurança para que você possa verificar se o grupo de sinais observado inicialmente será reproduzido de modo semelhante após a frase reformulada. Isso aumentará a margem de acerto e minimizará a chance de coincidência. Por exemplo, pode ser que quando você fez a Pergunta Capciosa (na situação hipotética), o vendedor tenha esfregado o nariz porque estava coçando e, ao mesmo tempo, entrou um cisco ou cílio no olho dele.

Reavaliando e observando a mesma reação em duas ocasiões, ambas em completo contraste com a reação às respostas às Perguntas de Controle, você conseguirá confirmar suas suspeitas. É importante também que você seja capaz de descartar suas suspeitas se não observar a mesma reação – a pessoa pode estar dizendo a verdade. A melhor maneira de distinguir entre verdade e mentira é manter a objetividade e abordar cada indivíduo sem ideia preconcebida.

Com a prática, você será capaz de realizar esse processo de cinco etapas diversas vezes ao longo de uma conversa. Você poderá repeti-lo quantas vezes achar necessário para confirmar suas suspeitas, ou então eliminá-las.

DETECÇÃO DE MENTIRA EM AÇÃO

Primeira etapa. Motivação: a pessoa tem motivação para mentir? Alguns vendedores têm uma grande motivação, pois eles recebem comissão sobre as vendas ou salário baseado no desempenho.

Segunda etapa. Faça perguntas de controle (perguntas que a pessoa responderá com a verdade) e observe aspectos como contato visual, movimentos das mãos, frequência do piscar, tom de voz, movimentos corporais etc., para estabelecer um padrão de comportamento.

O cliente pergunta: "Este aqui está em promoção?" ou "Este aqui já vem com aplicativos?". Ele já sabe a resposta e está procurando os sinais verbais e não verbais associados às respostas sinceras da vendedora.

SAM

Terceira e quarta etapas realizadas simultaneamente. Faça perguntas capciosas; dê oportunidade para a pessoa falar a verdade ou mentir – a opção é dela.

Indicadores: Existem sinais de mentira que ocorrem em grupo após as Perguntas Capciosas?

Pergunta Capciosa: o cliente pergunta: "Tem outras lojas por aqui que vendem essa marca?", e a vendedora responde: "Se alguma outra loja vende essa marca? Não, só a nossa loja vende essa marca por aqui, com certeza.

Indicadores – o cliente observa uma mudança do comportamento inicial. Um grupo de sinais surge quando a vendedora não diz a verdade (ela repete a pergunta, cobre parcialmente a boca, assume uma postura fechada, desvia o olhar por alguns segundos e frisa bastante a resposta).

Quinta etapa (duas partes). Verifique novamente: reavalie usando Perguntas de Controle seguidas de Perguntas Capciosas e observe se o grupo de sinais reaparece.

O cliente faz Perguntas de Controle: "Posso me conectar à Internet sem fio?" e "Dá para jogar com ele?" A vendedora diz a verdade e exibe o mesmo comportamento inicial – não há grupo de sinais.

SAM

O cliente faz uma Pergunta Capciosa: "Esse é o menor preço que você pode fazer?". E a vendedora responde: "É, é sim, e é um ótimo negócio. Nunca vi esse produto ser vendido por um preço mais baixo, em nenhuma loja". O grupo de sinais reaparece – ela toca o nariz, cobre parcialmente a boca, assume novamente uma postura fechada, desvia o olhar, titubeia e frisa demais a resposta.

RESUMO DOS PRINCIPAIS PONTOS

O Modelo de Detecção de Mentira é um processo fácil de memorizar e que pode ser aplicado a todas as situações. Este resumo ajudará a refrescar sua memória. Se quiser informações mais detalhadas, leia toda a seção intitulada "Processo de Detecção de Mentira".

Motivação: a pessoa tem motivação para mentir? As motivações são: evitar constrangimento; causar boa impressão; obter vantagem; e evitar punição. Você obterá resultados mais precisos se mantiver a objetividade, portanto não parta do princípio de que a pessoa está mentindo – ela pode ter motivação para mentir, mas estar dizendo a verdade.

Faça Perguntas de Controle para estabelecer um padrão inicial: quando ligar seu "radar antimentira", observe as respostas verbais e não verbais às Perguntas de Controle – aquelas que a pessoa responde honestamente. Dessa forma, você terá um padrão de comportamento. Não tenha pressa, pois essa etapa criará uma base confiável para que você possa detectar mudanças no comportamento se a pessoa mentir.

Perguntas Capciosas: para identificar um mentiroso, primeiro é necessário dar oportunidade para que ele diga uma mentira. Para isso, você precisa fazer uma ou duas Perguntas Capciosas – sutilmente. A melhor forma é fazer essas perguntas como parte normal da conversa, sem dar chance para que a pessoa esconda sinais de mentira.

Indicadores: você identificou sinais de mentira, com base no padrão de comportamento que observou ao fazer as Perguntas de Controle? Esses indicadores apareceram como um grupo de sinais em rápida sucessão? Se isso ocorrer em resposta a uma pergunta, mire o seu "radar antimentira". No final desta seção você encontrará uma lista de alguns sinais de mentira.

Verifique novamente: reavalie. Para fazer isso, repita as quatro etapas mencionadas anteriormente e confirme a presença do grupo de sinais. Se você identificar um grupo de sinais semelhante aos identificados após a Pergunta Capciosa, é provável que tenha apanhado um mentiroso.

Alguns sinais de mentira: movimentar os dedos, as mãos, as pernas e os pés, ou ausência de movimento; alterar o padrão da fala; errar mais a pronúncia das palavras; limpar a garganta; engolir em seco ou gaguejar exageradamente; movimentar os olhos de maneira que revele que a pessoa está inventando, e não se lembrando; fazer menos contato visual ou aumentar muito esse contato; coçar o nariz; assumir uma postura fechada, inclinando o corpo para trás e cruzando os braços para criar uma barreira; pôr a mão sobre a boca ou sobre os olhos; piscar com mais frequência e, em seguida, colocar a mão no rosto; mostrar contradição entre "o que é dito" e "o que é transmitido pelos gestos" (fazer que "sim" com a cabeça, mas dizer "não"); fingir cansaço, como, por exemplo, simular bocejo. Dar respostas mais rebuscadas e excessivamente detalhadas; e exibir microexpressões conflitantes.

SINAIS DE MENTIRA

Existem muitos sinais ou dicas de mentira que uma pessoa pode exibir ao mentir. Nesta seção, vamos descrever a maior parte dos indicadores comportamentais de mentira conhecidos e comprovados. Assim, você se concentrará nas áreas certas e aprenderá rapidamente. No entanto, você não deve se restringir aos sinais apresentados neste livro. Se seguir o modelo de cinco etapas que apresentamos na seção anterior, poderá descobrir outros indicadores que se aplicam especificamente a determinada pessoa. Lembre-se, o que você está procurando é uma mudança de comportamento entre as Perguntas de Controle e as Perguntas Capciosas. Por exemplo, conheço uma mulher que leva sempre os óculos consigo, mas que só usa de vez em quando. Toda vez que eu lhe faço uma Pergunta Capciosa, ela põe os óculos para responder. O mais provável é que ela faça isso para colocar uma barreira entre seus olhos e os meus, numa tentativa de esconder o olhar de culpa. Não tenho conhecimento de nenhuma pesquisa acadêmica que confirme esse comportamento em especial como sinal de mentira. Entretanto, seguindo o Modelo de Detecção de Mentira e conhecendo as contramedidas que os mentirosos podem usar, encontrei um sinal bastante confiável que se aplica a essa pessoa em particular.

Para garantir que você acerte em suas tentativas iniciais de detectar mentiras, sugiro que se concentre principalmente nos sinais apresentados a seguir. Porém, à medida que ficar mais familiarizado com o Modelo de Detecção de Mentira e mais atento às mudanças de comportamento, poderá ampliar o seu foco e tentar identificar sinais de mentira específicos a determinadas pessoas.

Quando começar a colocar em prática o seu conhecimento recém-adquirido, você notará que algumas pessoas têm mais tendência a "deixar escapar" determinado tipo de sinal de mentira. Se você não deixar que os mentirosos percebam que você consegue saber quando eles estão mentindo (impedindo que se escondam por trás de uma contramedida), eles continuarão a exibir esses sinais e você conseguirá identificar facilmente suas mentiras em outras ocasiões. A mulher que mencionei há pouco ainda põe os óculos sempre que mente. Na verdade, eu só lhe faria Perguntas Capciosas se soubesse que ela está com seus óculos. Obviamente esse sinal de mentira tem data de validade – quando ela precisar usar os óculos o tempo todo!

A maioria das pessoas exibe algum tipo de sinal de mentira quando mente. Como falamos anteriormente, esses sinais ficam mais visíveis quando há uma grande carga cognitiva ou uma grande carga emocional (como graves consequências se a mentira for descoberta, sentimento de culpa, ansiedade ou agitação). Quando alguém diz uma mentira e é questionado mais a fundo, normalmente precisa inventar um número cada vez maior de mentiras para reforçar as anteriores. Isso aumenta a carga emocional e, consequentemente, o número de sinais exteriores de mentira. É o que acontece com quase todo mundo. Isso não se aplica aos mentirosos patológicos que mentem continuamente e, muitas vezes, acreditam nas próprias mentiras. Em geral são exageros ditos com o objetivo de causar boa impressão ou obter vantagem. Por exemplo, um mentiroso patológico pode dizer que é amigo íntimo de Mick Jagger há muitos anos ou então que morou na mesma rua ou frequentou a mesma escola que o presidente Obama, se achar que isso vai melhorar a sua imagem num grupo social ou profissional. Perigosamente, os mentirosos patológicos acreditam nessas mentiras e têm dificuldade de distinguir fato de ficção. Por esse motivo, é difícil identificar seus sinais de mentira, pois o componente emocional está atenuado ou totalmente ausente.

Os mentirosos patológicos sentem pouca emoção quando mentem, ou não sentem nenhuma emoção. E eles mentem o tempo todo. Como mentem com tanta frequência, é praticamente impossível estabelecer um padrão confiável de comportamento, pois o próprio padrão se baseará em mentiras. Além disso, devido à ausência de emoção, eles não demonstram os sinais de mentira usuais. E, como não têm um motivo particular para mentir, é difícil saber quando se trata de uma mentira banal, sem importância, ou de uma mentira séria. Felizmente, não existem muitos mentirosos patológicos na sociedade; mas, se você encontrar um (e você o reconhecerá facilmente), ainda assim recomendo a adoção do Modelo de Detecção de Mentira de cinco etapas.

Talvez a melhor maneira de lidar com um mentiroso patológico seja estruturar as perguntas de tal maneira que ele só possa responder "sim" ou "não". Dessa forma, a verdade será o contrário da resposta que ele der!

Outro grupo traiçoeiro é o dos que já contaram a mesma mentira muitas vezes – os mentirosos ensaiados. Como eles praticaram e ensaiaram a mentira em várias ocasiões, a resposta parece mais natural. Isso porque não há uma grande carga cognitiva (uma vez que eles não estão inventando enquanto falam), e a carga emocional associada à mentira é menor (pois já a contaram várias vezes e ficaram insensibilizados). Curiosamente, estudos demonstraram que a mentira ensaiada parece mais convincente, mas, quando a pessoa a conta, ela exibe um número maior de sinais não verbais de mentira. Embora os mentirosos ensaiados possam parecer mais convincentes, aos olhos do "detector de mentiras" ele parecerá mais culpado.[21]

Esta seção apresenta alguns excelentes sinais que o ajudarão a identificar quando alguém está mentindo. Eu o aconselho a praticar essas técnicas sempre que possível. Será divertido desafiar as pessoas da sua família a tentar mentir para você. Nesse tipo de exercício, você terá um bom *feedback* quando errar – não se preocupe, eles lhe dirão. Quando isso acontecer, veja o que fez você pensar que era mentira e aprenda com seu erro. Assim, será mais difícil enganar-se da próxima vez. Além disso, desafie-os novamente seguindo o Modelo de Detecção de Mentira e procure outros sinais de mentira.

Quando identificar um sinal confiável de mentira de um membro da sua família, não deixe que ele saiba que sinal é esse. Até descobrir, ele não conseguirá escondê-lo e, portanto, também não conseguirá mentir para você. Será muito frustrante para ele – divirta-se!

Embora eu não dê prioridade a um sinal de mentira em particular, creio que o foco do "Detector de Mentiras" astuto deve ser as áreas das quais as pessoas não têm consciência ou sobre as quais têm pouco controle. Os sinais de canais altamente condutores, como movimentos dos dedos e contato visual, não podem ser desprezados, mas são as áreas que os mentirosos não esperam que você avalie ou sobre as quais eles têm pouco controle que podem lhe dar uma maior percepção, como microexpressões, omissão de informação e movimentos dos membros inferiores. Nas próximas seções, falaremos sobre as áreas que lhe darão as melhores informações para que você possa detectar sinais de mentira com exatidão.

"ESTÁ NA CARA"

OS OLHOS

Os olhos são uma fonte de informações incrivelmente valiosa que os seres humanos costumam usar para avaliar a personalidade e o estado emocional das outras pessoas. Isso fica particularmente claro quando olhamos fotografias, pois não podemos nos basear nos movimentos corporais nem na fala. Quando vemos a fotografia de alguém, o primeiro lugar que olhamos é para os olhos, para tentar avaliar a emoção dessa pessoa. Tente fazer isso – olhe a fotografia de um estranho e veja o que você olha primeiro; quase sempre são os olhos. Temos uma sede natural por informações transmitidas pelos olhos. Sem acesso aos olhos – por exemplo, quando uma pessoa está usando óculos escuros –, nossa avaliação fica prejudicada. Você se sentiria à vontade para fazer uma compra de valor com um vendedor, ou estabelecer uma relação de confiança com alguém, que usa óculos escuros o tempo todo e você nunca consegue ver seus olhos?

Este livro revela diversos sinais ou dicas de mentira que as pessoas podem deixar transparecer ao tentar enganá-lo. Minha área preferida, e a que considero mais eficaz, para descobrir se alguém está mentindo é a dos olhos. Ao que parece, as pessoas têm muita dificuldade de forjar informações ou inventar histórias e manter um comportamento normal dos olhos. Por exemplo, quando você pede para alguém responder rápido uma pergunta, isso faz com que ela mova rapidamente os olhos de um lado para o outro, olhando ligeiramente para baixo, enquanto tenta colocar o cérebro em ordem para responder. Da mesma forma, os olhos de uma pessoa podem se fixar ou "congelar" em determinada posição enquanto ela tenta responder uma pergunta. É como se o cérebro e os olhos estivessem "atrelados" e, quando o cérebro é pressionado, os olhos revelassem isso. Os três principais aspectos que devemos nos concentrar são: contato visual (olho no olho), frequência do piscar e movimentos oculares. Esses aspectos serão analisados em seguida. Quando começar a praticar suas habilidades de detecção de mentira, sugiro que comece pelos olhos.

Contato visual: Dizem que os olhos são a janela da alma. Eles também podem representar uma oportunidade para o "detector de mentiras" astuto, mas não somente por meio do contato visual, como geralmente se acredita.

A maioria das pessoas diz que identifica um mentiroso observando os olhos do interlocutor para ver se ele consegue manter um contato visual normal. Como eu disse, os olhos são controlados por um canal altamente condutor que fornece um grande *feedback* ao cérebro. Isso dá aos mentirosos certo controle e, portanto, eles conseguem manipular o contato visual para ajudar a disfarçar sua culpa. Muitas vezes eles aumentam deliberadamente o grau de contato visual na esperança de parecer mais sinceros. Entretanto, com as Perguntas de Controle você conseguirá determinar o grau normal de contato visual de qualquer pessoa. Às vezes fica bastante óbvio, quando ele é significativamente maior após as Perguntas Capciosas do que após as Perguntas de Controle. Reiterando, o que você está procurando é um aumento ou redução do contato visual em resposta às Perguntas Capciosas. O contato visual pode ser manipulado, mas quem fala a verdade e, em seguida, mente tem dificuldade de manter uma consistência. Portanto, procure inconsistências.

DICA ÚTIL: Crianças e mentirosos inexperientes, ou que são pegos de surpresa por alguma pergunta, reduzem imediatamente o contato visual. Eles desviam o olhar instantaneamente, põem a mão na frente dos olhos, fingem estar distraídos com alguma coisa ou esfregam os olhos. Depois de se recompor, eles voltam a olhar normalmente nos olhos do interlocutor. O sinal que você deve procurar é a interrupção inicial do contato visual.

Frequência do piscar: Em geral, nós piscamos cerca de 26 vezes por minuto durante uma conversa, embora esse número possa aumentar significativamente em períodos de estresse.[22] Não importa se a pessoa está estressada ou não, se você notar uma mudança significativa na maneira com que ela pisca (mais lenta ou mais rápida) quando fizer suas Perguntas Capciosas, em relação à observada durante as Perguntas de Controle, esse é um bom indicador de mentira. A pessoa pode piscar mais lentamente ao responder Perguntas Capciosas por duas razões: 1) porque quer interromper o contato visual, mas não quer virar a cabeça, pois esse seria um sinal óbvio de culpa; 2) porque a mente dela está consumindo muita energia para inventar uma resposta (sobrecarga cognitiva – próximo de "falência mental"), e isso faz com que ela pisque mais demoradamente. Da mesma forma, os mentirosos podem piscar mais ou tremer involuntariamente a pálpebra quando estão mentindo, o que quer dizer que eles querem olhar o mínimo possível nos olhos do interlocutor. Nós não precisamos nos preocupar com a motivação da mentira que leva os mentirosos a alterar inconscientemente a frequência do piscar, mas apenas observar se ocorre alguma mudança nessa frequência entre as Perguntas de Controle e as Perguntas Capciosas.

Uma palavra de advertência. As pessoas podem piscar mais demoradamente, piscar com mais frequência ou desviar o olhar porque não querem responder à pergunta. Talvez simplesmente por estarem incomodadas com a informação solicitada. Elas também podem piscar mais quando estão pensando seriamente sobre algo, que talvez seja a verdade. Portanto, a frequência do piscar, por si só, não é um sinal de mentira e precisa ser levado em conta junto com outros sinais.

Movimentos oculares: Outro sinal muito interessante que deve ser observado é o movimento dos olhos. No caso de alguns indivíduos (mas não de todos), esse sinal pode revelar rapidamente se eles estão se

DICA ÚTIL: Se a pessoa piscar mais demoradamente e, em seguida, levar a mão ao rosto, é provável que esteja mentindo. Esses movimentos podem indicar que, inconscientemente, ela quer ignorar a sua presença ao formar uma barreira (a mão) e que está tentando tirá-lo da vista dela (visualmente) ao piscar demoradamente.

lembrando de algo ou criando/inventando. Essa técnica baseia-se na Programação Neurolinguística (PNL), criada na Universidade da Califórnia por John Grinder e Richard Bandler na década de 1970.[23] Programação Neurolinguística é uma disciplina à parte, e muitas empresas oferecem cursos sobre essa disciplina para aqueles que se interessam. Em vez de bombardeá-lo com páginas de teoria acadêmica sobre PNL, acho melhor transmitir apenas as informações essenciais diretamente relacionadas com a detecção de mentira.

Quando experimentar essa técnica, você perceberá que ela funciona muito bem com algumas pessoas, mas não funciona nem um pouco com outras. Portanto, para descobrir se alguém está mentindo é preciso levar em consideração outros sinais. Recomendo que, depois de ler esta seção, você experimente usar essa técnica com um amigo ou parente, até mesmo com uma criança. Divirta-se.

A premissa básica que está por trás do funcionamento dessa técnica é que nossos olhos se movem em determinadas direções, dependendo do que a nossa mente está fazendo. Somos programados para isso, e é muito difícil mudar ou manipular constantemente esse padrão para tentar disfarçar o que estamos pensando. As pessoas conseguem disfarçar muito bem o movimento dos olhos quando têm consciência disso. No entanto, isso não é natural, tampouco é possível manter sistematicamente um grau tão elevado de controle. Por esse motivo, vale a pena analisar essa área em busca de sinais de mentira.

OBSERVAÇÃO: A PNL tem sido criticada e menosprezada por alguns e entusiasticamente aclamada e corroborada por outros. Descobri que a técnica funciona muito bem com algumas pessoas, mas que não funciona nem um pouco com outras. Seja como for, algum conhecimento sobre PNL representará outra arma no seu arsenal de detecção de mentira.

Como estou escrevendo este livro para você – todas as referências a esquerda e direita levam em consideração a sua posição – que está de frente para a outra pessoa. Se eu disser que ela olhará para a direita, significa a sua direita (esquerda dela). Como alguns movimentos oculares que você tentará observar podem ser muito rápidos, é importante que você saiba instintivamente que direção significa o quê. Por esse motivo, eu criei um modelo específico para propósitos de detecção de mentira.

Quando fazem uma pergunta a um indivíduo destro, os olhos dele devem:

- Mover-se horizontalmente ou diagonalmente para cima – para a direita (a sua direita) se ele estiver se lembrando de algo que realmente aconteceu. Isso indica que ele de fato vivenciou aquilo que está lhe contando; ou
- Mover-se horizontalmente ou diagonalmente para cima – para a esquerda (a sua esquerda), se ele estiver inventando algo que nunca viu ou sobre o qual nunca ouviu falar. Isso indica que ele está criando/inventando.

OBSERVAÇÃO: A direção dos olhos do canhoto será oposta à direção dos olhos do destro.

Como você tentará avaliar diversos sinais de mentira ao mesmo tempo, para simplificar é melhor concentrar-se apenas nos movimentos de 180 graus superiores dos olhos. Os movimentos de 180 graus inferiores também demonstram atividade cognitiva, mas não são tão importantes para a detecção de mentira. Os movimentos oculares podem ser muito rápidos, sobretudo quando a pessoa está criando ou se lembrando de uma resposta bem rápida, como "sim" ou "não"; portanto, é melhor fazer uma pergunta que exija que ela fale um pouco. Dessa forma, o tempo em que os olhos se movimentam de um lado para o outro ou permanecem em determinada posição será maior, o que lhe dará mais tempo para avaliar se ela está criando/inventando ou se lembrando de um acontecimento real. Além disso, quando uma pessoa responde "sim" ou "não", ela pode piscar naturalmente, o que esconderá a direção dos olhos, ou então piscar deliberadamente por um tempo prolongado antes de responder. Em ambos os casos, você terá perdido uma oportunidade de avaliar a reação. Portanto, se possível, tente fazer uma pergunta cuja resposta exija o uso de diversas palavras ou frases.

Tente o seguinte: peça para uma criança ou membro da sua família (de preferência uma criança, cujos sinais são muito mais evidentes) sentar-se à sua frente. Sente-se de maneira que possa observar perfeitamente os olhos dela e peça-lhe que descreva com sinceridade e a maior riqueza de detalhes possível um lugar ou evento onde ambos estiveram (assim ela lhe dirá a verdade). Faça com que ela passe algum tempo descrevendo os detalhes. Observe a direção dos olhos dela, mas não revele o que está procurando, senão ela conseguirá disfarçar. Em seguida, peça-lhe para inventar uma história sobre algum acontecimento ocorrido num lugar onde ela não esteve. Você quer que ela invente/crie imagens. Por exemplo, ela poderia falar de quando foi acampar na África e montou num elefante selvagem. Faça com que ela dê detalhes. Peça-lhe que descreva como era a área do acampamento, que outros animais havia lá, se eles deram comida para os animais, como são os elefantes na vida real, como eram as árvores e de que cor era a barraca. Peça-lhe para inventar uma história sobre o que ela fez nesse acampamento. Enquanto ela conta essa história fictícia, você observará que os olhos dela estão se movimentando numa direção diferente daquela de quando ela estava falando a verdade. Essa é uma técnica de PNL.

DICA ÚTIL: Se a pessoa olhar para a direita, está correto (é verdade). Direita = Verdade. Se a pessoa olhar para a esquerda, é mentira (criada/inventada). Esquerda = Mentira.

EXCEÇÕES À REGRA:

1. Às vezes, a pessoa olha para a frente com pouco ou sem nenhum movimento ocular, aparentemente sem fixar o olhar em nenhum ponto em especial. Esse também é um sinal de que ela está se lembrando de um acontecimento real.
2. Assim como todos os sinais de mentira, alguns se manifestarão de forma bastante profunda em algumas pessoas e não se manifestarão em outras; por esse motivo, você pode achar que essa técnica não funciona com todo mundo. É por isso que este livro apresenta tantos sinais de mentira. Se determinada técnica não funcionar com alguém, você poderá recorrer a várias outras e ainda aumentar o seu nível de acerto.

Embora eu tenha tentado tornar essa regra bastante simples de seguir, assim como em todos os comportamentos do ser humano não existem regras fixas. A regra mencionada acima indica as reações de um indivíduo destro. Os movimentos oculares do canhoto ocorrem na direção contrária. Há também uma pequena minoria de indivíduos destros cujos olhos reagem como os de um canhoto. Tudo isso pode parecer bastante confuso, mas não precisa ser assim.

Tudo o que você precisa fazer é verificar se a pessoa é destra ou canhota durante as Perguntas de Controle. Faça uma pergunta sobre um fato que você sabe que ela vivenciou e observe a direção dos olhos dela. Você pode fazer diversas perguntas para ter certeza. Então, quando fizer a Pergunta Capciosa, se você notar que os olhos dela estão se movendo na direção contrária à observada com as Perguntas de Controle, é provável que ela esteja inventando a resposta.

Lembre-se, o movimento ocular isoladamente não revela que a pessoa mentiu. O que revela a existência de mentira é o movimento ocular que indica que alguém está criando/inventando algo *junto* com outros sinais, formando um "grupo de sinais". Ao analisar o movimento ocular, lembre-se de que ele pode ser bastante rápido, portanto é preciso ficar bem atento.

Muito bem, vamos colocar isso em prática – hora de se divertir um pouco!

Primeiro passo. Escolha um familiar ou amigo como vítima. Faça algumas perguntas sobre acontecimentos ou experiências que você sabe que ele vivenciou e observe seus movimentos oculares. Assim, você poderá verificar se ele é destro ou canhoto. Se for destro, provavelmente ele olhará para a (sua) direita ou para cima à (sua) direita quando estiver se lembrando do que você perguntou.

Segundo passo. Em seguida, peça que ele cite quatro coisas que fez no último fim de semana, mas uma dessas coisas deve ser mentira. Enquanto ele faz isso, observe seus movimentos oculares. A resposta com o movimento ocular *diferente* é a mentirosa; porque ele inventou essa resposta e seus olhos movimentaram-se em outra direção.

OBSERVAÇÃO: Lembre-se de que às vezes as pessoas olham para a frente com pouco ou sem nenhum movimento ocular quando estão se lembrando de acontecimentos reais. Se elas fizerem isso, naturalmente esse teste não funcionará. No entanto, se sua vítima não for uma dessas pessoas (com base em suas Perguntas de Controle) e tentar dificultar as coisas olhando diretamente para você com a esperança de despistá-lo, preste bastante atenção em qualquer mudança na frequência do piscar e no padrão da fala. Se ela fizer uma pausa antes de uma das respostas ou responder uma das perguntas mais lentamente ou mais depressa do que as outras – essa é a mentira.

DICA ÚTIL: Os mentirosos desviam brevemente o olhar quando mentem, para interromper o contato visual, mas também podem disfarçar sua culpa retomando o contato visual rapidamente. A interrupção do contato visual é um sinal de culpa, e eles voltam a olhar nos olhos do interlocutor para ver se conseguiram se safar. Nesse ponto, permaneça impassível (não revele nenhuma dica) e faça uma pausa na conversa. Os mentirosos têm muita dificuldade de lidar com essa estratégia, pois não recebem nenhuma informação, verbal ou facial, de que a mentira "colou". Muitas vezes isso faz com que eles comecem a falar, e é exatamente isso que os denuncia; eles falam rápido demais, fornecem detalhes demais, não têm um raciocínio lógico e/ou movimentam os olhos de um lado para o outro enquanto analisam a situação e repassam a resposta na cabeça, avaliando se a mentira "colou" ou não. Os mentirosos odeiam silêncio!

Eu já disse que a pupila de uma pessoa pode se dilatar quando ela mente. Esse pode ser outro indicador útil, mas, a menos que você tenha um registro visual da pessoa, como uma gravação de alta qualidade de um interrogatório policial ou entrevista para a imprensa, é muito difícil monitorar e avaliar. Além disso, a área dos olhos realiza alguns movimentos bastante discretos que podem indicar mentira; esses movimentos serão explicados na seção *Microexpressões* da página 114. Entretanto, em relação aos olhos, as três principais áreas que você achará mais úteis para monitorar são contato visual (olho no olho), frequência do piscar e movimento ocular.

O mentiroso aumenta deliberadamente o contato visual na esperança de parecer sincero.

O mentiroso desvia o olhar imediatamente depois de dizer uma mentira.

O mentiroso pode colocar a mão diante dos olhos.

O mentiroso pode fingir estar distraído, esfregando os olhos e desviando o olhar.

Depois de interromper o contato visual inicial, ela pode olhar novamente nos olhos do interlocutor para ver se ele acreditou na mentira.

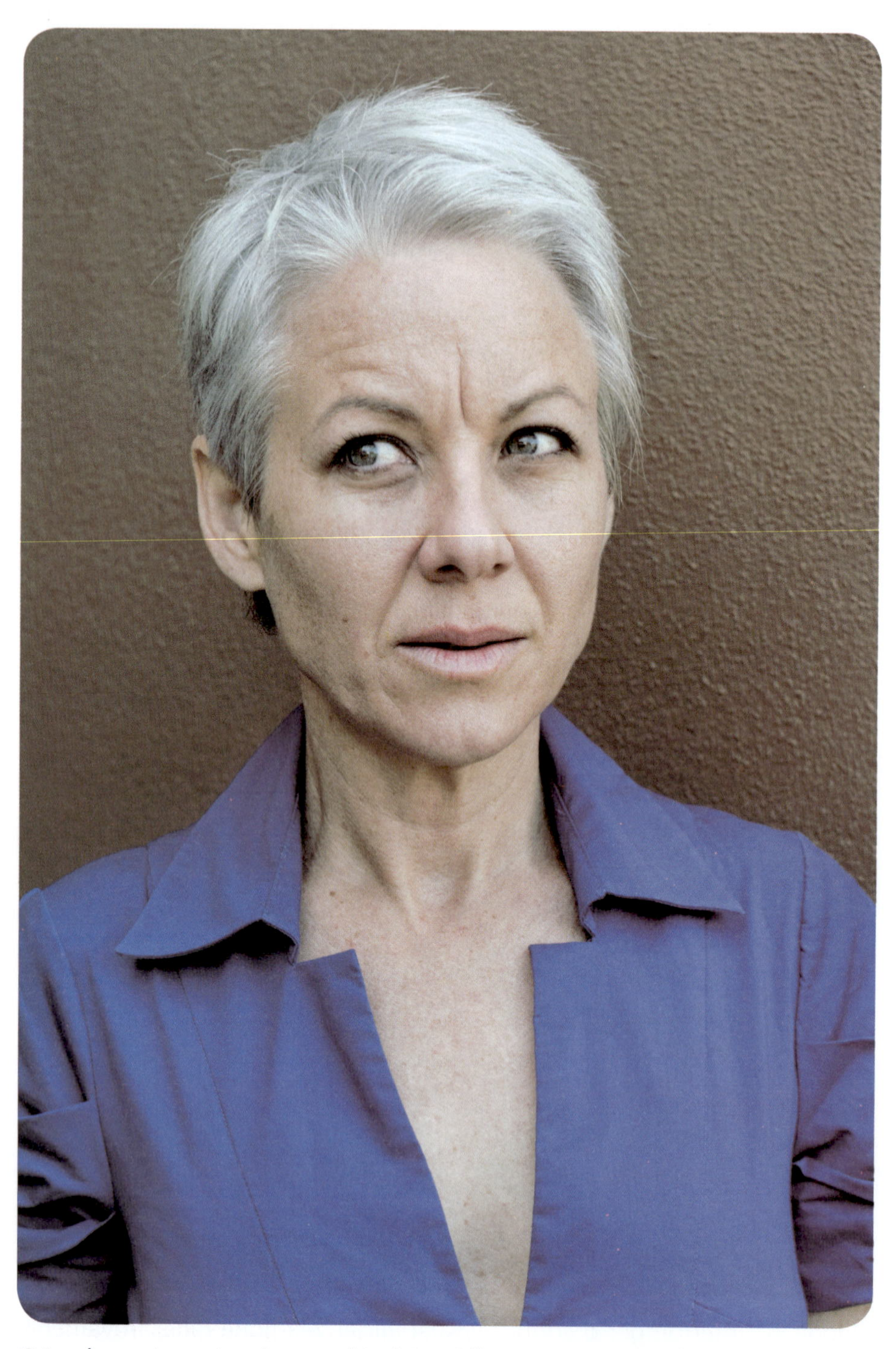

Criando ou inventando uma história. Olha para a esquerda.

Lembrando-se de um acontecimento real. Olha para a direita.

O NARIZ SABE

Se você estiver tentando descobrir se um menininho de madeira chamado Pinóquio disse a verdade, sugiro que observe o tamanho do nariz dele quando fizer as Perguntas Capciosas. Infelizmente, o nariz dos seres humanos não aumenta nem diminui de tamanho quando eles mentem, mas ainda assim pode ajudá-lo a detectar mentiras.

As pessoas tocam o nariz de vez em quando – isso é normal. Entretanto, alguns mentirosos fazem isso com maior frequência. Quando fizer as Perguntas de Controle, observe a frequência com que a pessoa toca o nariz; talvez ela nem toque. Quando fizer as Perguntas Capciosas, se a pessoa começar a tocar o nariz, eu recomendo que faça uma reavaliação, pois esse pode ser um sinal de mentira. Se isso ocorrer uma segunda vez durante a fase de reavaliação, dificilmente será coincidência, mas sim mentira.

Os mentirosos tocam o nariz para esconder momentaneamente a boca com a mão (criando uma barreira cômoda/protetora) ou porque a mucosa nasal fica repleta de sangue, provocando uma sensação de coceira.[24] O mentiroso, então, toca o nariz para aliviar o comichão. O dr. Charles Wolf, da Universidade de Utah, e o dr. Alan Hirsch, da Smell and Taste Treatment and Research Foundation, em Chicago, analisaram em detalhes o depoimento do ex-presidente Bill Clinton no caso do escândalo Monica Lewinsky.[25] Além de outros sinais de mentira exibidos por Clinton durante seu depoimento, os drs. Hirsch e Wolf descobriram que quando o ex-presidente estava dizendo a verdade ele mal tocava o nariz. Contudo, quando não estava sendo totalmente sincero, ele tocava o nariz regularmente.[26]

Além do depoimento de Clinton, que pode ser encontrado na Internet, se você tiver tempo vale a pena procurar vídeos na rede sobre

Os mentirosos tocam o nariz com mais frequência; em parte, para cobrir a boca, e também devido a um aumento do fluxo de sangue para o nariz, que provoca uma sensação de coceira.

pessoas que foram interrogadas pela polícia ou entrevistadas pelos meios de comunicação e depois ficou comprovado que elas estavam mentindo. Apesar de não ter oportunidade de fazer Perguntas de Controle, você poderá observar que essas pessoas tocam o nariz com frequência. Por si só, isso não é prova de mentira, mas quando ocorre na fase de Reavaliação junto com outros sinais, o seu "radar antimentira" está certo.

A BOCA

Quando eu era criança, meu pai costumava me dizer: "David, sempre sei quando você está mentindo – a sua boca se movimenta e as palavras vão saindo!". Puxa! Obrigado, pai. Não importa se o que eu falava era verdade ou mentira, numa coisa ele estava certo – é possível observar a boca para detectar mentiras. Esta seção falará sobre os sinais de mentira *da boca*, e não sobre o que foi dito *pela boca*. Os sinais verbais de mentira serão tratados mais adiante na seção "Sinais verbais de mentira", na página 145.

Existem duas táticas comuns usadas pelas pessoas que mentem – elas tentam esconder a boca ou juntam os lábios com a mão. É como se, inconscientemente, o mentiroso quisesse esconder a própria fonte da mentira. Você já deve ter observado, sobretudo em crianças pequenas que ainda não aprenderam a mentir, que quando elas contam uma mentira ou dizem sem querer algo que não queriam dizer, colocam instantaneamente a mão na boca. Às vezes esse é um gesto bem evidente. O mesmo princípio se aplica aos adultos; nesse caso, os sinais são mais sutis, pois nós aprendemos a nos controlar e também a minimizar os sinais de mentira. Os adultos mentirosos tentam esconder a boca quando mentem virando-se um pouco para o lado, segurando uma caneta nos lábios enquanto falam ou, como mencionei na seção anterior, cobrindo a boca com a mão ao tocar o nariz.

Da próxima vez que você estiver com um grupo de pessoas ou participando de uma reunião em que está havendo uma discussão, veja se há alguém com os dedos ou um único dedo sobre os lábios. De vez em quando você vai observar as pessoas juntando os lábios com os dedos ou colocando o polegar sob o queixo e o indicador sobre os lábios. Quem está fazendo isso no grupo gostaria de dizer alguma coisa, mas está se contendo, ou por educação (esperando a sua vez de falar) ou porque discorda do que está sendo dito e não quer se manifestar. O mesmo ocorre com alguns mentirosos; eles juntam os lábios ou colocam os dedos sobre eles, aparentemente numa tentativa inconsciente de impedir que a verdade escape.

Outra maneira pela qual a boca pode ser cúmplice de uma mentira é criando um sorriso falso. Tenho certeza de que você já viu alguns sorrisos que achou que não eram espontâneos. A principal diferença entre um sorriso sincero e um sorriso falso é que o falso envolve apenas a metade inferior do rosto, geralmente só a boca – sem a participação dos olhos. Experimente olhar-se no espelho e dar um sorriso falso usando só a metade inferior do rosto. Quando fizer isso, veja se seu rosto realmente parece feliz – é um sorriso sincero? Um sorriso espontâneo exerce impacto sobre os músculos e rugas ao redor dos olhos e, de maneira mais sutil, a pele entre a sobrancelha e a pálpebra superior abaixa ligeiramente com o verdadeiro contentamento. O sorriso espontâneo pode contagiar todo o rosto. É como se, diante de uma verdadeira felicidade, todo o rosto quisesse se juntar à alegria, até os pés de galinha!

Além disso, o sorriso espontâneo é sempre simétrico e forma-se mais lentamente do que o sorriso fabricado. O que cria um sorriso espontâneo é um agradável aumento de emoção, e isso leva tempo. Um sorriso fabricado não encerra emoção verdadeira. Trata-se apenas de uma decisão de fazer alguns músculos agirem de determinada maneira, o que acontece muito mais rápido do que com um sorriso espontâneo. Pela mesma razão, o sorriso espontâneo desaparece mais lentamente do rosto, e não de um segundo para o outro como o sorriso fabricado.

DICA ÚTIL: Se você quiser saber se realmente divertiu uma pessoa, além de observar o movimento dos músculos ao redor dos olhos, observe se o sorriso desaparece lentamente do rosto dela. Dar um sorriso espontâneo é como receber velhos amigos para jantar, você não quer que eles vão embora cedo demais. Da mesma forma, o sorriso espontâneo desaparece lentamente. Dar um sorriso falso é como dizer adeus a um vendedor chato; você pode fechar a porta rapidinho!

Um sorriso fabricado não significa necessariamente que alguém esteja mentindo. As pessoas podem fazer isso para não deixar transparecer que estão infelizes, para parecer agradáveis ou simplesmente serem educadas. No entanto, se só a boca sorrir, não é um sorriso espontâneo. Estatisticamente, os mentirosos sorriem com menos frequência do que as pessoas que dizem a verdade.[27] Porém, como você sabe, os mentirosos também fabricam deliberadamente um sorriso como uma contramedida para indicar que são amigos ou que estão à vontade e relaxados em relação às suas perguntas. Por essa razão, é importante que você seja capaz de distinguir um sorriso espontâneo de um sorriso falso.

Outra maneira pela qual a boca pode tentar mentir para você é simulando um bocejo. Se você conversar muito tempo com alguém que está mentindo, de vez em quando ele boceja. Muito provavelmente essa

DICA ÚTIL: Uma ótima maneira de distinguir um sorriso espontâneo de um sorriso falso é assistindo filmes. Preste atenção quando os atores estão sorrindo ou rindo, principalmente ao redor dos olhos. Acho esse exercício muito interessante, pois você consegue perceber rapidamente se o ator está rindo de verdade ou interpretando (sorrindo apenas com a boca). Às vezes, numa cena em que dois atores estão rindo, eles estão rindo de verdade.

é uma estratégia para tentar convencê-lo de que ele não está se sentindo nem um pouco estressado. Reiterando, se você notar que uma pessoa começa a bocejar (geralmente inclinando o corpo para trás e abrindo bem os braços e/ou as pernas) quando estiver fazendo as suas Perguntas Capciosas, volte a fazer algumas Perguntas de Controle e veja se os bocejos cessam. Se cessarem, proceda para a fase de Reavaliação.

Outros possíveis sinais de mentira transmitidos pela boca são lábios secos, mais pálidos ou retesados – juntados pelos músculos, e não pelas mãos, para impedir que a verdade escape. Esses também podem ser sinais de estresse não relacionados com mentira, mas são outras dicas que devemos observar.

Cenário: Assisti recentemente a uma longa entrevista com um astro do esporte. Sentado num sofá junto com a esposa, ele respondeu a uma série de perguntas. Dessa forma, pude observar seu padrão de comportamento.

O entrevistador fez a seguinte pergunta: "Vocês são casados há muito tempo, parecem felizes, mas deve ser difícil ter de ficar separados com tanta frequência, não?". O entrevistado respondeu: "Bem, nós

Sorriso falso: a boca pode ser cúmplice da mentira ao fabricar um sorriso falso. O sorriso falso é um sorriso educado.

Sorriso espontâneo: no sorriso espontâneo os músculos ao redor dos olhos participam, bem como todo o rosto. Se você cobrir a metade inferior das duas fotos, logo abaixo do nariz, e observar os olhos – perceberá claramente qual é o sorriso espontâneo e qual é o falso.

somos felizes. É difícil, sim, mas sou dedicado ao meu esporte". A linguagem corporal dele e todos os outros sinais permaneciam coerentes com os da primeira parte da entrevista. Entretanto, o entrevistador perguntou: "Então, quer dizer que você não anda atrás de mulheres nem tem casos extraconjugais, como Tiger Woods?". Imediatamente, e pela primeira vez, o entrevistado ajeitou-se no sofá, virou um pouco a cabeça e esfregou o nariz enquanto respondia: "Não, de maneira alguma". Por razões legais, não posso mencionar o nome do esportista, mas tenho certeza de que ele mentiu. Observei um grupo de sinais evidentes quando ele respondeu a essa pergunta, e apenas a ela durante toda a entrevista. Ele estava mentindo.

Os mentirosos podem juntar os lábios com os dedos.

Os mentirosos podem tentar esconder a boca com a mão ou virando levemente o corpo para o lado.

Os mentirosos podem tentar cobrir a boca com um objeto, como uma caneta.

MICROEXPRESSÕES – *FLASHES* DE FALSIDADE

A identificação e a interpretação das microexpressões avançaram significativamente com o trabalho do professor Ekman, pioneiro nesse assunto. A popular série da TV americana, "Lie to Me", representou alguns dos trabalhos pioneiros do professor Ekman, que é representado na série como dr. Cal Lightman (interpretado por Tim Roth). Para ter uma compreensão abrangente desse assunto é preciso ler muitos artigos de revistas científicas e resultados de pesquisas, mas você não precisa passar por isso, eu já fiz essa parte para você! No entanto, recomendo que faça o treinamento *on-line* oferecido pelo grupo do professor Ekman.[28]

O objetivo deste livro não é transmitir ensinamentos acadêmicos profundos sobre todas as facetas da detecção de mentira, mas apenas fornecer as informações essenciais que ajudarão rapidamente o leitor a se tornar um "Detector de Mentiras" mais eficaz; as microexpressões são parte essencial desse processo.

Como dissemos anteriormente, quando as pessoas mentem, elas sentem um pouco de emoção (Resposta Emocional), que pode variar de estresse, culpa e ansiedade até certa satisfação. Essas emoções podem provocar algumas alterações fisiológicas (Resposta do Sistema Nervoso Simpático), que produzem alguns sintomas de culpa, como inquietação, desvio do olhar etc. Dissemos também que os mentirosos adotam deliberadamente contramedidas para esconder os sintomas da culpa (Resposta Cognitiva). Além disso, descobrimos que os mentirosos conseguem disfarçar e controlar com facilidade alguns sintomas (por exemplo, movimento das mãos e contato visual), mas não outros (frequência do piscar e movimento ocular). Microexpressões são expressões de emoção estampadas no rosto de uma pessoa. São extremamente breves (1/25 de segundo) e geralmente não são percebidas pelo observador casual.

Essas microexpressões são tão instantâneas que a pessoa que as expressa não tem controle sobre elas. Portanto, um mentiroso não consegue adotar uma contramedida para tentar mascarar essas emoções. As microexpressões exibem a verdadeira emoção interior de uma pessoa antes que ela tenha tempo de escondê-la. Por esse motivo, são um instrumento fantástico para o "Detector de Mentiras Humano".

Outra razão da sua grande utilidade é que, independentemente de raça, cultura ou grau de instrução, as microexpressões de alegria, tristeza, aversão (asco), desprezo, raiva, surpresa e medo são universais e não mudam, e podem ser aplicadas a todas as pessoas.[29]

Ao observar o rosto, é importante lembrar que ele pode fazer muitas coisas que não dependem de emoção, como, por exemplo, gesticular. Gestos faciais, como piscadelas, são específicos de culturas e não podem ser aplicados a todas as pessoas. Além disso, as pessoas desenvolvem e usam determinados maneirismos faciais para transmitir informações, como erguer as sobrancelhas. A principal diferença entre gesto facial ou maneirismo e microexpressões é que as microexpressões surgem como um "*flash*" ou "contração" no rosto de alguém, enquanto os gestos faciais e maneirismos são mais lentos e mais evidentes, pois são destinados a transmitir informações a outra pessoa. Microexpressões são sinais involuntários de emoção que se manifestam no rosto.

O que procuramos ao observar as microexpressões é uma incompatibilidade entre a emoção expressada e o que é realmente dito. Por exemplo, alguém faz a seguinte pergunta a um colega de trabalho: "Fiquei sabendo que Simon foi demitido ontem; o que você acha disso?". O colega (por um breve instante) esboça um leve sorriso (enrugando os olhos, e não apenas com a boca), mas responde: "Que pena, ele era um cara legal". A incongruência entre a felicidade transmitida pela expressão e a tristeza ou perda expressada verbalmente é óbvia.

A microexpressão denunciou que ele estava feliz com a notícia de que Simon não trabalhava mais lá.

Se você é como a maioria das pessoas, nunca reparou nas microexpressões antes. É preciso ser rápido para captar essas expressões traiçoeiras bastante sutis, mas elas existem e, com a prática, você ficará surpreso ao constatar a frequência com que começa a notá-las. Talvez elas pareçam apenas uma leve contração ou tique. Quando perceber uma, veja se há um conflito entre o que é dito e a emoção transmitida pela microexpressão. Se não houver, a pessoa está sendo sincera. Mas se houver um conflito, ela está ocultando as próprias emoções.

EXEMPLO: As microexpressões revelam como alguém se sente "de verdade", elas não podem ser mascaradas. Uma pessoa lhe diz, enquanto sorri educadamente: "Fiquei feliz em encontrar John no café Shakimra". Mas, quando ela falou isso, seu lábio superior ergueu-se rapidamente e suas sobrancelhas abaixaram. Essa é a microexpressão de aversão. Embora essa pessoa esteja demonstrando deliberadamente alegria/educação, há uma emoção interior de aversão – em relação ao encontro. Ela está mascarando seu sentimento de aversão a determinado aspecto do que foi proposto.

Não acredito que seja necessário estudar os diversos grupos musculares e aspectos técnicos que envolvem o movimento facial de cada emoção. Essas emoções faciais são as mesmas em todas as raças e culturas, e você deve ser capaz de reconhecê-las. No entanto, nas páginas seguintes apresento sete exemplos de microexpressões. Isso o ajudará a reconhecê-las mais prontamente.

Como as microexpressões são muito rápidas e podem facilmente passar despercebidas, os exemplos mencionados a seguir recomendam que se preste atenção em determinada área, a que mais poderá revelar essa emoção, e não em todas as áreas dessa microexpressão. Isso não significa que você deva desprezar as outras áreas. Sugiro apenas que concentre a sua atenção na área recomendada até adquirir mais prática e conseguir reconhecer imediatamente as sete emoções.

OBSERVAÇÃO: A primeira coisa que você tem de praticar é identificar a microexpressão propriamente dita. Em seguida, pergunte a si mesmo: será que essa emoção é compatível com o que a pessoa disse?

Microexpressões são sinais involuntários de emoção que se manifestam no rosto. Para detectar uma mentira, tente ver se há alguma incompatibilidade entre o que é dito e a microexpressão.

Alegria: a pessoa sorri simetricamente. As bochechas se erguem e há um movimento ao redor dos olhos. A pele entre a sobrancelha e a pálpebra superior abaixa-se ligeiramente – mas é difícil ver isso, portanto concentre a sua atenção na área ao redor dos olhos. Você observou algum movimento? Se os olhos não estiverem realmente sorrindo, é falso.

Tristeza: os cantos da boca se inclinam para baixo e as bordas internas das sobrancelhas se levantam ligeiramente. Concentre a sua atenção nos cantos da boca – eles estão voltados para baixo?

Raiva: os lábios ficam mais finos e comprimidos ou tensos e ligeiramente abertos. As bordas internas das sobrancelhas se abaixam na direção da ponte do nariz, provocando um sulco entre as sobrancelhas. As pálpebras superiores se elevam, abrindo os olhos, e a pessoa olha fixamente; os olhos permanecem bem abertos. Concentre a sua atenção na microexpressão da boca ou dos olhos.

Desprezo: um dos cantos da boca é comprimido e puxado para trás. Isso pode ser acompanhado por leve inclinação da cabeça para trás. Essa é a única emoção exibida com uma resposta "assimétrica". Concentre a sua atenção na boca – se o movimento não é simétrico, trata-se de desprezo.

Aversão (asco): o lábio superior permanece cheio e relaxa à medida que é elevado simetricamente, podendo expor os dentes. O nariz fica franzido. Concentre a sua atenção no lábio superior – ele subiu e desceu rapidamente? Permaneceu relaxado e cheio?

Medo: as sobrancelhas se erguem, mas ficam retas (menos arqueadas), ao serem aproximadas. Os olhos ficam bem abertos. A boca se estende horizontalmente, afinando os lábios. É tentador concentrar-se nos olhos; entretanto, os olhos podem parecer semelhantes nas expressões de medo e de surpresa. Concentre-se na boca – ela se estendeu horizontalmente na direção das orelhas?

Surpresa: os olhos se abrem e as sobrancelhas se levantam – mas apenas brevemente. As sobrancelhas permanecem arqueadas. A boca fica levemente aberta, à medida que a mandíbula cai – os lábios permanecem relaxados. As pessoas que fingem surpresa abrem muito a boca e deixam as sobrancelhas erguidas durante muito tempo. Concentre-se nas sobrancelhas – elas subiram e desceram rapidamente? Ficaram arqueadas?

CONFUSÃO ENTRE MICROEXPRESSÕES

Por causa da velocidade desses "*flashes*" traiçoeiros de falsidade, algumas microexpressões parecem semelhantes, até você adquirir prática na sua interpretação. A meu ver, o mais difícil é diferenciar raiva de aversão e medo de surpresa. A seguir, explico quais são as características que distinguem essas quatro microexpressões.

Raiva *vs.* Aversão: A expressão de raiva pode parecer com a de aversão, pois em ambas as sobrancelhas se erguem e se abaixam. No entanto, a diferença mais discernível é vista ao redor dos olhos e na boca.

Olhos de raiva: Fixos e mais abertos, e sobrancelhas abaixadas e mais juntas.

Olhos de aversão: Os olhos não ficam tão abertos (como na raiva) e muitas vezes são franzidos – com as sobrancelhas abaixadas, e não juntas.

Boca de raiva: Os lábios ficam comprimidos e mais finos ou ligeiramente abertos e mais finos.

Boca de aversão: O lábio superior se levanta. Os dois lábios permanecem cheios e mais relaxados – os dentes ficam expostos.

Medo *vs.* Surpresa: As expressões de medo e de surpresa podem ser confundidas, pois em ambas as sobrancelhas se erguem e a boca se abre. No entanto, há uma diferença perceptível, principalmente em relação às sobrancelhas e ao formato da boca.

Sobrancelhas de medo: Levantadas, mas levemente retas (menos arqueadas) e mais juntas.

Sobrancelhas de surpresa: Levantadas, mas permanecem arqueadas.

Boca de medo: Ligeiramente aberta; os lábios se estendem lateralmente, aumentando o tamanho a boca.

Boca de surpresa: Ligeiramente aberta, os lábios permanecem cheios e relaxados.

DICA ÚTIL: Se uma pessoa estiver usando óculos escuros, tiver feito uma cirurgia plástica ou acabado de fazer uma aplicação de Botox, nem pense em ler o rosto dela – ele lhe contará uma história bastante confusa!

Cenário: Você está numa reunião social de trabalho, rodeado de pessoas que estão comendo e bebendo. Você desconfia que Jill, que é destra, estava com o marido (Brett) de outra mulher no sábado à noite, e não no jogo de futebol como ela disse (seu álibi). Você liga o seu "radar antimentira".

Você passa algum tempo estabelecendo um padrão de comportamento confiável, fazendo perguntas cujas respostas você sabe. Por exemplo: "Jill, na festa de natal do ano passado, qual era mesmo o nome daquele restaurante?". Durante as Perguntas de Controle, você observou o grau de contato visual dela e a frequência com que ela piscava. Observou também os olhos dela moverem-se rapidamente para cima à sua direita quando ela se lembrou do nome do restaurante. Isso lhe demonstra que a PNL (movimento ocular) pode ser observada com Jill; ela está se recordando de um evento real – está dizendo a verdade.

Como ela havia dito que estava numa partida de futebol na noite de sexta-feira, você fez algumas Perguntas Capciosas. Por exemplo: "O estádio estava lotado? Quantas pessoas você acha que estavam torcendo para o time da casa, com base na cor das camisetas?". Diante dessas perguntas, você nota que ela pisca duas vezes rapidamente (uma combinação de carga cognitiva e vontade de esconder os olhos), que seus olhos se movimentam para cima à esquerda (criando uma imagem mental, e não se lembrando de uma imagem real) enquanto responde: "Acho que o número de torcedores dos dois times era o mesmo". Jill, então, toma um longo gole de bebida enquanto desvia o olhar (evitando contato visual, escondendo a boca com o copo – sua boca pode começar a ficar seca). Você olha na direção em que ela olhou e não vê nada de especial que pudesse tê-la distraído. Em seguida, vocês conversam sobre generalidades. (Mais Perguntas de Controle, durante as quais você observa seu padrão de comportamento.) Depois, você lhe pergunta: "Você ouviu um boato no escritório de que Brett está tendo um caso?". Assim que você diz isso, repara que as duas sobrancelhas de Jill erguem-se e abaixam-se rapidamente, mas permanecem arqueadas (apenas um leve movimento), e que a boca se abre ligeiramente e depois se fecha. (microexpressão de surpresa). Ela responde sorrindo: "Bem, isso é bem típico do nosso escritório, tem sempre um monte de boatos circulando – nada me surpreenderia nesse lugar". (Há um total descompasso entre sua microexpressão de surpresa e sua afirmação.) Depois de dizer isso ela pega um guardanapo e limpa rapidamente a boca e o nariz (escondendo a boca e coçando o nariz). Ela muda de assunto (deflexão – analisada mais adiante, na página 146).

O que o seu "radar antimentira" diz sobre Jill?

O CORPO MENTE

Os mentirosos movimentam mais ou menos o corpo quando mentem? Se você respondeu "mais" ou "menos", acertou. A razão disso é que, devido à Resposta do Sistema Nervoso Simpático (reação de luta ou fuga), os mentirosos movimentam-se mais, como se estivessem sempre se ajeitando na cadeira, mexendo as pernas e tamborilando os dedos. Se você fizesse uma pergunta a uma pessoa e ela exibisse esses três sinais, você logo chegaria à conclusão de que ela estava mentindo. Os mentirosos sabem disso. Como esses movimentos são controlados por canais altamente condutores (os canais que fornecem *feedback* constante para o cérebro), eles permitem um alto grau de controle ao mentiroso. Portanto, o mentiroso tentará controlar esses movimentos como uma estratégia (Resposta Cognitiva) para disfarçar a culpa. Dessa forma, os mentirosos podem realmente movimentar o corpo menos do que o normal enquanto tentam manipular os movimentos corporais e esconder a necessidade de se afastar de você. Alguns mentirosos se movem com mais frequência e outros com menos frequência. Então, como é que podemos identificar dissimulação com base nos movimentos corporais?

A resposta é muito simples. Só precisamos seguir as cinco etapas que descrevemos no começo desta seção (Processo de Detecção de Mentira).

Motivação: A pessoa tem motivação para mentir?

Faça Perguntas de Controle: Para estabelecer um padrão de comportamento.

Perguntas Capciosas: Faça perguntas que deem margem a mentiras.

Indicadores: Existem sinais de mentira que ocorrem em grupo?

Verifique novamente: Reavalie.

Quando estiver estabelecendo um padrão de comportamento, observe a frequência com que a pessoa se mexe depois das Perguntas de Controle. Ao fazer as Perguntas Capciosas, tente ver se ocorre um aumento súbito nos movimentos corporais, ou redução. Ambos podem indicar que ela está mentindo. Se os movimentos aumentarem, a Resposta do Sistema Nervoso Simpático (adrenalina) está fazendo com que ela se mexa mais. Uma redução indica que ela está deliberadamente reduzindo os movimentos corporais para disfarçar a culpa.

Se você não notar uma diferença no padrão de movimentos corporais entre as Perguntas de Controle e as Perguntas Capciosas, a pessoa está dizendo a verdade. Ao observar o corpo para detectar mentira, a melhor coisa a fazer é procurar alterações nos movimentos corporais. A próxima seção ressalta alguns dos melhores sinais de mentira que devemos observar para verificar se houve mudanças entre as fases de Perguntas de Controle e Perguntas Capciosas. Lembre-se, se a pessoa estiver mentindo pode haver tanto aumento como redução dos movimentos dessas partes do corpo.

Braços e mãos: Palmas suadas muitas vezes são consideradas um sinal de culpa. Na minha opinião, esse é claramente um sinal de estresse e pode indicar que alguém está mentindo. No entanto, a pessoa pode estar estressada pelo simples fato de estar sendo questionada sobre algo que disse. Além disso, é impossível observar quando alguém começa a suar ou para de suar, e também o quanto está suando. Por esse motivo, esse indicador não pode ser avaliado dentro do Modelo de Detecção de Mentira de cinco etapas apresentado neste livro. Embora seja bom observar que alguém está com as mãos suadas e, portanto, estressado, esse não é um sinal confiável de mentira, pois não pode ser avaliado de modo consistente. Por essa razão, acho que existem sinais de mentira mais confiáveis e que podem ser avaliados de maneira consistente. Por exemplo, a pessoa começa a mexer ou bater de leve os dedos. Os dedos podem até mesmo tremer levemente; esses indicadores podem ser avaliados dentro do modelo. Se o mentiroso estiver consciente da inquietação, as contramedidas poderão incluir: esconder as mãos nos bolsos ou sob a mesa ou entrelaçar os dedos para tentar disfarçar os movimentos. Ele pode até mesmo segurar na cadeira ou na mesa ao falar para minimizar o movimento do braço. Se você suspeitar de que isso esteja ocorrendo, tente ver a força com que ele está apertando o objeto; pode ser que perceba que ele está apertando com mais força do que o normal.

Um fato curioso é que os mentirosos raramente juntam as pontas dos dedos com as mãos espalmadas, formando um triângulo. Essa é uma posição normal usada com frequência para transmitir força e confiança. Porém, às vezes os mentirosos põem as mãos assim diante do rosto para tentar formar uma barreira. Eles costumam levar as mãos ao rosto, sobretudo para cobrir os olhos ou a boca ou tocar sorrateiramente o nariz.

DICA ÚTIL: Lembre-se, é um conflito entre o que o corpo diz e o que é dito verbalmente que representa um sinal de mentira. Por exemplo, uma pessoa está dizendo o quanto está preocupada com algo que você lhe disse. Enquanto isso, você observa um leve dar de ombros que é incoerente com o que ela está falando – na verdade, ela não está nem aí!

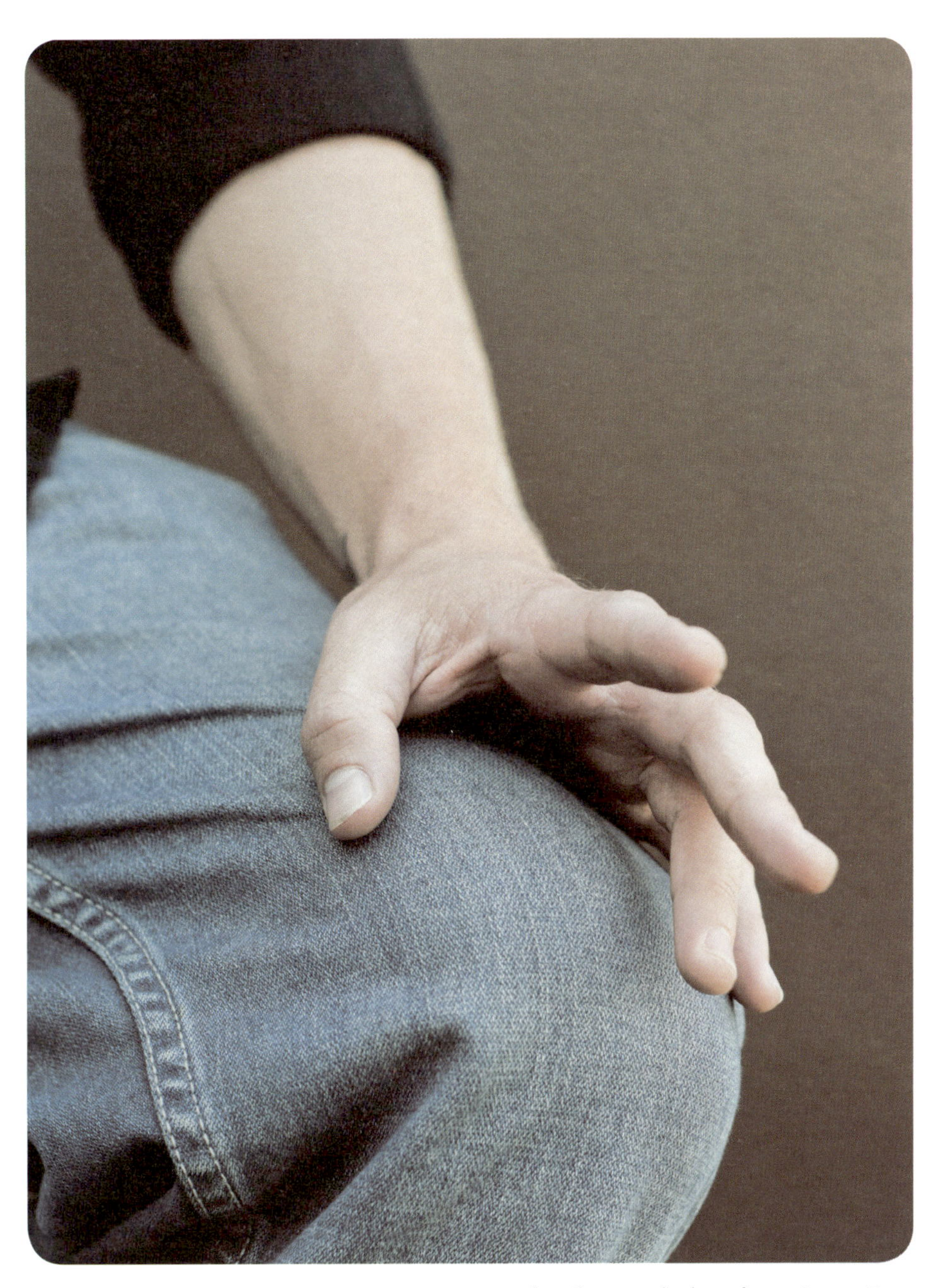

Uma pessoa que começa a mexer ou tamborilar os dedos durante as Perguntas Capciosas pode estar mentindo. Uma ausência total de movimento também pode indicar falsidade – procure incongruência de movimentos entre as Perguntas de Controle e as Perguntas Capciosas.

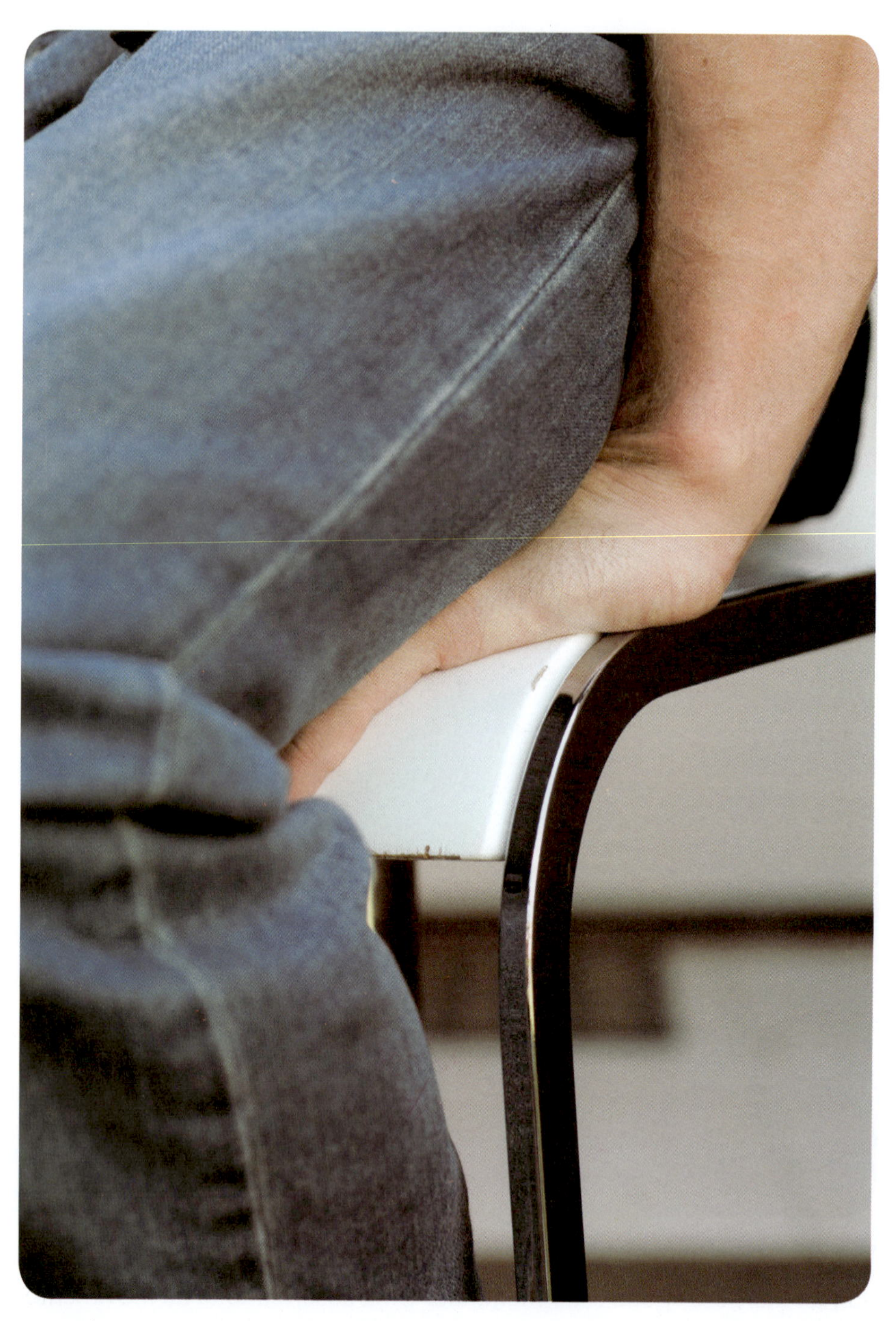

Quando o mentiroso tem consciência da movimentação dos dedos, ele tenta ocultar isso pondo as mãos nos bolsos, sob a mesa ou entrelaçando-os.

Pernas e pés: Creio que as pernas e os pés são uma fonte subestimada de sinais de mentira que costuma passar despercebida. O mentiroso geralmente tem perfeita consciência do movimento dos braços e o minimiza, mas se esquece de reduzir o movimento das pernas, sobretudo quando acha que estas estão escondidas, como, por exemplo, embaixo da mesa. Assim como no caso dos braços, o mentiroso começa a balançar levemente uma ou ambas as pernas. Para reduzir esse movimento, ele pode cruzar as pernas ou juntar os tornozelos. Pode também usar os braços ou as mãos para segurar as pernas e minimizar o movimento. Quando está sentado, ele pode abrir as pernas e pressionar as coxas contra os braços da cadeira para imobilizá-las. Às vezes, ele também se inclina para trás, pressionando o espaldar da cadeira para parecer relaxado, quando isso é tudo o que ele não está. O mentiroso pode até mesmo simular um bocejo ao fazer isso para parecer desinteressado e despreocupado – outro sinal revelador. A menos que ele estivesse bocejando durante as Perguntas de Controle, nesse caso talvez você precise fazer Perguntas de Controle mais interessantes!

DICA ÚTIL: As pernas oferecem uma grande oportunidade para observar um aumento de movimentos. Preste atenção especial aos pés e aos dedos dos pés, caso estejam visíveis, pois eles continuam se mexendo mesmo depois que as pessoas travaram os tornozelos, pressionaram as pernas contra os braços da cadeira ou seguraram as pernas com as mãos. Procure pequenos movimentos dos pés ou das pernas, pois eles são difíceis de controlar e denunciarão os mentirosos, uma vez que eles se concentram em controlar o movimento dos braços e outras dicas de mentira mais evidentes.

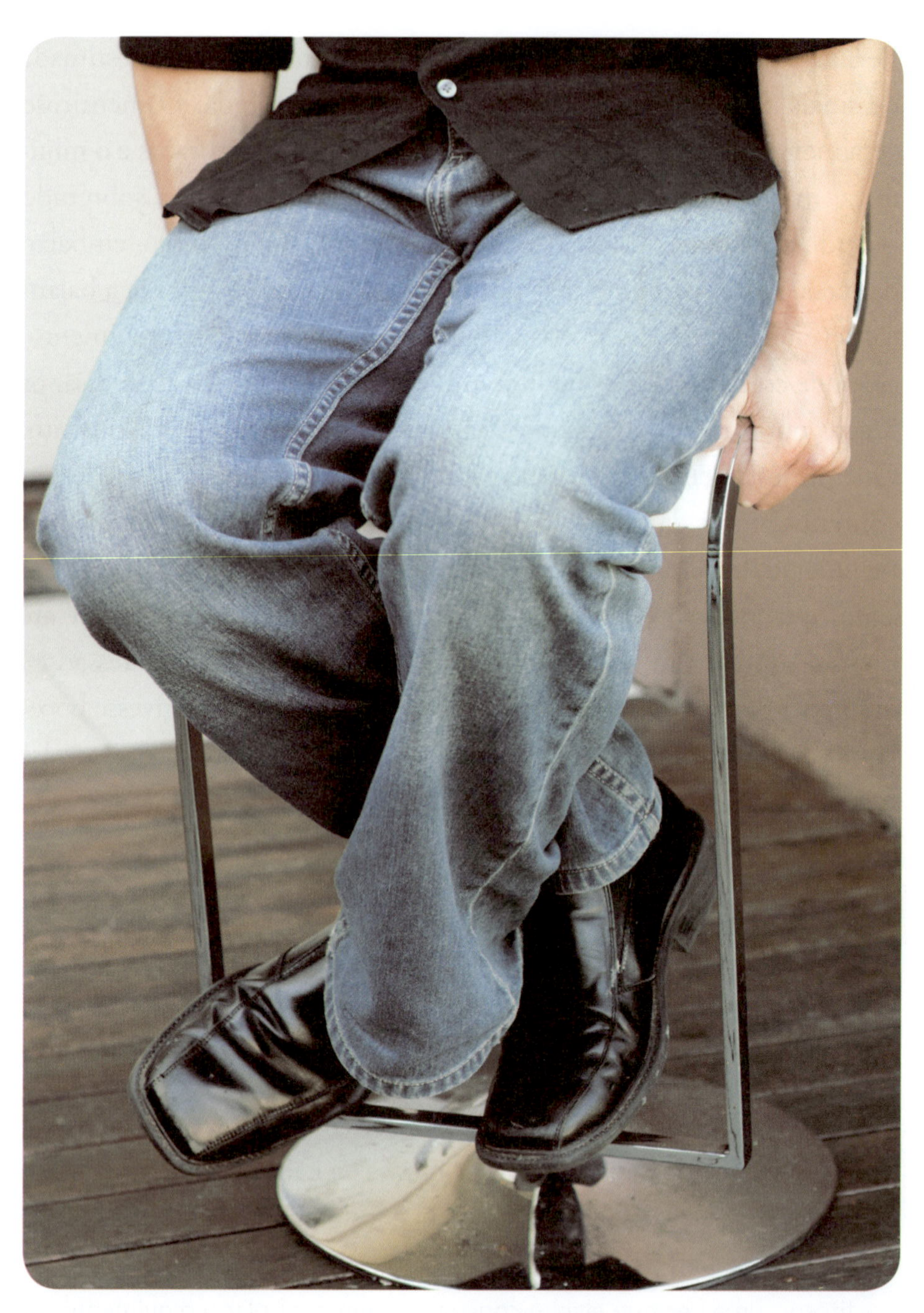

Os mentirosos podem começar a balançar ligeiramente uma ou ambas as pernas. Para tentar esconder isso, eles cruzam as pernas ou travam os tornozelos.

Os mentirosos podem encostar as pernas nos braços da cadeira como um apoio para minimizar o movimento.

Os mentirosos podem fingir que estão relaxados – uma observação mais atenta revela que as pernas estão apoiadas nos braços da cadeira, a mão está fechada e o braço está travado no encosto da cadeira.

Cabeça: Muitas vezes, quando uma pessoa mente há um conflito entre o que ela fala e o que o corpo dela demonstra. Se você observar o movimento da cabeça do mentiroso e ouvir o que ele está falando, perceberá claramente esse conflito. Ele pode dizer que concorda com o que você disse, enquanto diz "não" com a cabeça. Da mesma forma, já vi mentirosos dizerem "não" verbalmente, enquanto dizem "sim" com a cabeça. Esse conflito é um bom sinal de mentira.

Postura: Quando está estressado, na maioria das vezes o mentiroso tem uma postura corporal fechada. Ele quer ocupar o menor espaço possível. Para fazer isso, cruza as pernas, cruza os braços, abaixa os ombros e, quando sentado, escorrega ligeiramente da cadeira. Quando você faz as Perguntas Capciosas, o mentiroso afasta ligeiramente o corpo de você ou ajeita a posição na cadeira, ou então finge estar distraído e olha em outra direção. Se a pessoa não fez isso antes que você fizesse as Perguntas Capciosas, pode apostar que todos esses movimentos são sinais de mentira.

Em geral, uma pessoa honesta exibe uma postura corporal aberta e confortável. Por outro lado, o mentiroso tende a ficar rígido e fechado e a inclinar o corpo para trás, como para se distanciar da pessoa que está fazendo as perguntas. O mentiroso tenta até mesmo colocar um objeto entre ele e o interlocutor, como uma barreira protetora. Numa reunião profissional, é possível criar uma barreira simplesmente levantando uma pasta ou algum papel na altura do peito; uma boa maneira de esconder aqueles sinais reveladores de mentira.

Por outro lado, algumas vezes, num esforço para transparecer inocência, o mentiroso inclina o corpo para a frente (e, ao mesmo tempo, aumenta o contato visual), para convencer a pessoa que está fazendo as perguntas da veracidade da sua história, como um vendedor insistente. Ao fazer isso, ele pode também fazer que sim com a cabeça enquanto fala e, se estiver bastante confiante, até mesmo tamborilar os dedos enquanto fala. Se alguém estiver fazendo isso e tentar muito convencê-lo de alguma coisa, ligue o seu "radar antimentira"; pessoas inocentes não tentam com tanto afinco, elas esperam ser absolvidas.

DICA ÚTIL: Quanto mais uma pessoa tenta me convencer da sua inocência, mais desconfio dela.

Se você tiver oportunidade de fazer uma pesquisa na Internet e localizar o vídeo do depoimento do ex-presidente Bill Clinton no caso Monica Lewinsky, observe a frequência com que ele inclina o corpo para a frente para tentar convencer os presentes. Diversos desses gestos foram acompanhados por afirmações, no mínimo, questionáveis.

Como outra contramedida, o mentiroso pode adotar deliberadamente uma postura relaxada, abrindo os braços e as pernas e inclinando o corpo para trás. Obviamente, você vai comparar esses movimentos com os movimentos observados quando estabeleceu o padrão de comportamento dele; um aumento ou redução na atividade indica farsa.

DICA ÚTIL: O mentiroso sente-se mais à vontade quando você não pode vê-lo. Faça a si mesmo a seguinte pergunta: Se você tivesse de contar uma grande mentira para o seu patrão ou para alguma autoridade (ou seja, a polícia), preferiria fazê-lo por telefone ou cara a cara?

O motivo de ficarmos mais à vontade ao telefone é que é mais fácil esconder os sinais de mentira que podem ser denunciados pelos movimentos corporais. Com isso em mente, planeje fazer suas perguntas quando a pessoa estiver em pé e bem visível, com liberdade para se movimentar, e não sentado atrás de uma mesa onde ela pode se escorar em um objeto (restringindo os movimentos que denunciam culpa) ou esconder os sinais de mentira embaixo da mesa.

Os mentirosos costumam adotar uma postura fechada para ocupar o menor espaço possível. Eles podem cruzar as pernas, cruzar os braços, abaixar os ombros e, quando sentados, até mesmo escorregar ligeiramente da cadeira.

Quando você faz Perguntas Capciosas, os mentirosos podem afastar ligeiramente o corpo de você, fingir que estão distraídos e olhar em outra direção.

Os mentirosos tendem a ficar rígidos, com uma postura fechada e a inclinar o corpo para trás, para se distanciar da pessoa que está fazendo as perguntas, ou até mesmo colocar uma barreira, como uma pasta, diante do corpo.

Postura corporal aberta e relaxada.

Postura corporal fechada – observe que as mãos, os braços e as pernas estão apoiados para impedir o movimento.

SINAIS VERBAIS DE MENTIRA

Como vimos na seção "A natureza da detecção da mentira: somos bons nisso – naturalmente?", a pesquisa de Albert Mehrabian descobriu que 55% da comunicação era não verbal (como o corpo se movimentava); 38% era vocal (como as palavras eram ditas) e apenas 7% era puramente verbal (o que era dito).[30] Até agora, com boas razões, nós dedicamos a maior parte da nossa atenção aos sinais não verbais da mentira. A meu ver, os sinais não verbais são mais fáceis de observar e relembrar, sobretudo quando estamos começando a desenvolver nossas habilidades de detecção de mentira. Entretanto, como 45% da nossa comunicação é composta pelo que é dito e em como as palavras são usadas, vale a pena analisar os sinais de mentira da fala.

Omissão de informação: Os mentirosos inteligentes preferem ocultar suas mentiras dentro da verdade, em vez de inventar uma história inteira. Uma maneira pela qual eles fazem isso é por um processo chamado "omissão de informação". Nesse caso, a pessoa simplesmente "pula" partes de uma história que, se fosse contada em maiores detalhes, exporia uma mentira. Segue um exemplo de omissão de informação. Veja se consegue identificar a parte da história que a pessoa não quer discutir em detalhes e está tentando ocultar.

Pergunta: "Conte-me em detalhes o que você fez esta manhã".

Resposta: "Bem, eu acordei, tomei banho, me vesti, tomei uma xícara de café e peguei o jornal no jardim. Depois, li o jornal na cozinha, peguei as chaves do carro e saí de casa. Vi que meu vizinho, John Dobbs, estava saindo para o trabalho na mesma hora; nós dois pegamos a rua River em direção à cidade. O trânsito estava péssimo, mas ainda assim não demorei muito para chegar. Porém, quando saí do elevador, já na empresa, coloquei minhas coisas sobre a minha mesa, liguei meu laptop e comecei a trabalhar".

Quando você lê a resposta, percebe que há uma quantidade significativa de detalhes que aparecem sistematicamente durante todo o relato, exceto por uma lacuna – da chegada à cidade até a saída do elevador. Onde ele estacionou o carro? Considerando-se a quantidade de detalhes dados para as atividades matinais, seria razoável esperar que ele mencionasse onde estacionou o carro, o que fez no estacionamento e, talvez, o que viu no estacionamento. No entanto, ele pulou essa parte para tentar ocultar algum acontecimento.

Existem algumas expressões clássicas de omissão de informação que os mentirosos costumam usar durante uma conversa, como "quando vi..." "logo depois...", "coincidentemente....", "no entanto...", e "em seguida...".

Se você ouvir alguma dessas expressões numa conversa, pode ser indício de omissão de informação. Ouvindo a quantidade de detalhes de uma resposta, a omissão ficará evidente aos seus olhos quando, de repente, a pessoa pular de uma parte para outra da história.

Lembre-se, porém, que uma pessoa pode pular determinada parte da história apenas porque não quer se dar ao trabalho de lhe contar; ela acha que você não se interessaria pelos detalhes dessa parte da história ou que esses detalhes não são relevantes para aquilo que ela quer dizer. Portanto, se alguém está lhe contando uma história, uma omissão de informação pode não ser necessariamente consequência de mentira. A pessoa pode simplesmente estar lhe poupando dos detalhes chatos. Obviamente, se ela pular mais de uma vez determinado assunto, é melhor ligar o seu "radar antimentira".

Deflexão: Trata-se de uma maneira de desviar a atenção de alguém para outra coisa com o intuito de evitar ser questionado ou responder a uma pergunta. Os mentirosos às vezes fazem isso de maneira sutil, em geral na forma de uma resposta excessivamente detalhada. Coincidentemente, os políticos são muito bons nessa técnica! Da próxima vez que você vir um político sendo questionado por um repórter de TV sobre algo pelo qual ele é claramente culpado ou responsável, observe que ele não responde à pergunta e tenta desviar a atenção para outra pessoa ou partido político. Um exemplo de deflexão:

Pergunta: "Por que o senhor não tentou resolver o problema do congestionamento, por exemplo, destinando mais verbas para abrir mais avenidas?".

Resposta: "A questão do congestionamento é um problema nacional, na verdade esse é um problema também em outros países. E com o aumento do número de carros que transitam pelas ruas, é preciso levar em consideração os problemas ambientais. Investimos muito em pesquisas ambientais para tentar proteger o meio ambiente e o futuro das nossas crianças".

O político "escorregadio" simplesmente não respondeu à pergunta e desviou o assunto para uma área em que ele sc sentia seguro. Se você perceber que a pessoa muda de assunto toda vez que você tenta falar sobre alguma atividade suspeita, ela está evitando falar sobre isso. Ligue o "radar antimentira".

As pessoas usam as técnicas de deflexão e omissão de informação para se proteger durante uma conversa. Agora que você sabe como identificar essas táticas, achará divertido quando ouvir alguém lançar mão desse recurso, pois você saberá que tem alguma coisa que a pessoa não quer lhe contar. Embora ela possa não estar mentindo, certamente está escondendo algo. Se você estiver a fim, pode fazer perguntas sobre a área que ela evitou falar ou omitiu. Geralmente a pessoa descarta a pergunta como irrelevante. É, ela está escondendo alguma coisa.

Até as crianças adotam essa estratégia para evitar dizer toda a verdade. Por exemplo:

Filho: "Pai, eu estava no salão de jogos jogando PlayStation com a Tracy. Eu estava quase fazendo minha melhor pontuação, mas, quando vi, a Tracy estava me batendo". ("Quando vi." O menino pulou a parte que ele tomou o controle do PlayStation da amiguinha quando era a vez dela.)

Pai: "Você fez alguma coisa para ela ficar brava?".

Filho: "A gente estava só jogando. Sabe, a Tracy teve problema com o professor hoje". (Ele mudou de assunto, desviando a atenção do incidente em que ele era o culpado.)

Ênfase excessiva: Às vezes, os mentirosos tendem a enfatizar demais suas respostas com expressões do tipo: "Eu não ia mentir", "Nunca menti" ou "Me ensinaram a nunca mentir". Além disso, se você ouvir uma das seguintes expressões: "Juro pela minha mãe", "Para ser honesto", "Para ser bem franco", "Para dizer a verdade", ligue o seu "radar antimentira", pois é bem provável que lá venha uma enxurrada de mentiras!

Um exemplo clássico de ênfase excessiva é a de Bill Clinton, em 26 de janeiro de 1998:

> *"Agora tenho de voltar a trabalhar no meu discurso anual para o congresso. Trabalhei nele até tarde ontem à noite. Mas eu gostaria de dizer uma coisa ao povo americano. Quero que vocês me ouçam. Vou repetir: Eu não tive relações sexuais com essa mulher, a Srta. Lewinsky. Nunca pedi para ninguém mentir, nem uma única vez; jamais. Essas alegações são falsas. E eu preciso voltar a trabalhar para o povo americano. Obrigado."*[31]

Outra maneira usada pelos mentirosos para enfatizar exageradamente sua história é fornecendo detalhes demais em suas respostas – mais do que seria esperado. Eles fazem isso para parecer mais convincentes. É como o vendedor de carro insistente que bombardeia o cliente com detalhes sobre o veículo, sobre as formas de pagamento e as razões pelas quais ele deveria comprá-lo. O mentiroso vai bombardeá-lo com detalhes para convencê-lo da sua inocência. Outra razão que pode levar o mentiroso a agir dessa forma é o fato de achar que uma resposta vaga pode ser sinal de culpa. Portanto, uma resposta muito detalhada não passa de uma contraestratégia.

Seja qual for a razão, se alguém responder à sua pergunta de forma excessivamente elaborada e detalhada, fique atento. Uma tática que funciona bem com uma pessoa que dá respostas detalhadas e elaboradas é permanecer em silêncio. Faça outra pergunta e não dê nenhum sinal verbal ou corporal de que você não acredita nela. Isso gera uma pressão psicológica, pois ela precisa desesperadamente de algum indício de que você está convencido da sua inocência. Como você não lhe dá esse *feedback* e permanece calado, ela continua a fornecer detalhes, apertando o cerco sobre si mesma, pois a resposta contém mais mentiras e fica cada vez mais longa. Algumas vezes, as respostas não têm nada a ver com a pergunta original. Outras, o mentiroso percebe que o que disse é absolutamente ridículo. Numa mudança de tática e num esforço para tentar convencê-lo, ele decide admitir que não disse toda a verdade – mas agora será honesto. Por exemplo, "Tudo bem, para ser bem honesto com você..." e lá vai ele novamente: mais mentiras, e você não está falando nada.

DICA ÚTIL: É comum o mentiroso pedir ao seu interlocutor para repetir a pergunta, ou então ele mesmo a repete em voz alta ou, às vezes, baixinho. Assim ele ganha mais tempo para inventar a resposta. Quando foi a última vez que você estava conversando com alguém e essa pessoa lhe pediu para repetir a pergunta? Isso raramente ocorre em circunstâncias normais. Se ocorrer, a pessoa está procurando ganhar tempo para formular uma resposta. Os mentirosos matreiros limpam a garganta antes de responder, novamente ganhando tempo para inventar falsidades.

Padrões da fala: Quando alguém está dizendo a verdade, a fala tem um padrão regular, flui com certo ritmo e tom, independentemente do tópico abordado. A velocidade da fala do mentiroso aumenta e diminui durante uma conversa. Além disso, seu tom de voz pode se alterar entre os momentos em que ele está dizendo a verdade e quando não está. Em geral, a altura da voz aumenta em consequência do estresse causado pela mentira.

O mentiroso fala mais devagar quando sua mente está sobrecarregada (carga cognitiva), pensando nas mentiras que disse antes e na melhor maneira de mentir dessa vez. Em contrapartida, ele fala mais rápido sobre assuntos que sua mente não precisa fabricar, isto é, a verdade.

Se a velocidade da fala de uma pessoa aumenta rapidamente, pode ser também que ela esteja falando uma mentira ensaiada, ou seja, que ela já praticou e contou várias vezes. Como saber? Observe se há uma diferença no padrão da fala entre as Perguntas de Controle e as Perguntas Capciosas. Se a pessoa começar a falar mais depressa ou mais devagar ao responder as Perguntas Capciosas, comece a procurar outros sinais de mentira.

DICA ÚTIL: Procure uma resposta bastante rápida do tipo "sim" ou "não" seguida por uma pausa e, depois, pela resposta propriamente dita. Isso porque o mentiroso quer responder rápido à pergunta para não parecer culpado, mas depois ele precisa de tempo para inventar a história.

Além das mudanças no padrão da fala, o mentiroso tende a errar mais a pronúncia das palavras do que as pessoas que dizem a verdade. Se ele começar a gaguejar, fazer pausas ou pronunciar errado as palavras quando você fizer as Perguntas Capciosas, esse é um bom indicador de que ele está mentindo.

Quando uma pessoa sincera é questionada verbalmente, ela fornece informações e se mostra solícita. Quem diz a verdade espera que acreditem nela, por esse motivo suas respostas verbais são espontâneas e sua fala flui bem e segue um ritmo. Muitas vezes uma pessoa inocente fica mais ressentida com quem fez a coisa errada do que com quem a está acusando. Quando um mentiroso é questionado verbalmente, ele não é tão solícito e o tom da sua voz pode aumentar à medida que a velocidade da sua fala aumenta e diminui durante a conversa. Ele também pode se tornar defensivo.

Algumas pessoas juntam as pontas dos dedos com as mãos espalmadas para formar uma barreira adicional – tocando o nariz e a boca – como Bill Clinton fez diversas vezes durante seu depoimento ao Júri de Instrução (Grand Jury). Copyright © C-SPAN

Bill Clinton inclina o corpo para a frente ao depor; ele está "vendendo" a sua história para o interlocutor. Políticos, vendedores que usam uma estratégia de vendas agressiva (e outras pessoas insistentes!) fazem isso quando estão "vendendo" o que estão dizendo – tentando convencer outras pessoas. Às vezes, quando dizem a verdade; outras, quando mentem. Copyright © C-SPAN

Ênfase demasiada – "Vou repetir: eu não tive relações sexuais com essa mulher, a Srta. Lewinsky. Nunca pedi para ninguém mentir, nem uma única vez; jamais". Copyright © C-SPAN

RESUMO DOS PRINCIPAIS PONTOS

Os marcadores mais abaixo salientam as informações mais importantes apresentadas nesta parte do livro.

Siga o Modelo de Detecção de Mentira de cinco etapas:

Motivação: A pessoa tem motivação para mentir?

Faça Perguntas de Controle: Para estabelecer um padrão de comportamento. (Faça Perguntas de Controle e observe os padrões normais de comportamento e da fala.)

Perguntas Capciosas: Faça perguntas que deem margem a mentiras. (Dê oportunidade para a pessoa dizer a verdade ou mentir.)

Indicadores: Existem sinais de mentira que ocorrem em grupo? (Procure inconsistências no comportamento e nos padrões da fala, um grupo de sinais de mentira em rápida sucessão – em resposta às Perguntas Capciosas.)

Verifique novamente: Reavalie. (Faça outras Perguntas de Controle e, em seguida, repita as Perguntas Capciosas. Se observar novamente o grupo de sinais, a pessoa está sendo fingida.)

As três principais áreas dos olhos que devem ser observadas são: contato visual, frequência do piscar e movimento ocular.

Quando você faz uma pergunta, os olhos do interlocutor devem:

- Mover-se horizontalmente ou diagonalmente para cima – para a direita (a sua direita) se ele estiver se lembrando de algo que realmente aconteceu. Isso indica que ele realmente vivenciou aquilo que está lhe contando; ou
- Mover-se horizontalmente ou diagonalmente para cima – para a esquerda (a sua esquerda), se ele estiver criando algo sobre o qual

nunca ouviu falar. Isso indica que ele nunca viu nem ouviu aquilo de que está falando.

- Essas direções valem para uma pessoa destra; a direção dos olhos do canhoto é invertida.
- É possível verificar se a pessoa é destra ou canhota durante as Perguntas de Controle simplesmente perguntando-lhe sobre fatos que ela realmente vivenciou.
- Às vezes a pessoa olha para a frente com pouco ou sem nenhum movimento ocular, aparentemente sem fixar o olhar em nenhum ponto em especial. Esse também é um sinal de que ela está se lembrando de um acontecimento real.
- Essa técnica não funciona com todo mundo – para determinar se alguém está mentindo é preciso basear-se também em outros sinais de mentira.

O mentiroso gosta de cobrir a boca, e alguns tocam o nariz para encobrir momentaneamente a boca com a mão ou porque a mucosa nasal fica repleta de sangue, provocando uma sensação de coceira.

O sorriso espontâneo envolve os músculos ao redor dos olhos e demora um pouco para desaparecer. O sorriso falso envolve apenas a metade inferior do rosto e aparece e desaparece muito rapidamente.

As microexpressões são involuntárias e bastante breves. Elas podem parecer uma contração. Independentemente de raça, cultura ou educação, as microexpressões de alegria, tristeza, aversão (asco), desprezo, raiva, surpresa e medo são universais e não mudam, podendo ser aplicadas a todas as pessoas.

As microexpressões são tão instantâneas que a pessoa que as expressa não tem controle sobre elas. Elas exibem a verdadeira emoção interior de uma pessoa antes que ela tenha tempo de escondê-la. Procure uma incompatibilidade entre a emoção expressa e o que é dito.

O mentiroso usa contramedidas para tentar tapeá-lo. Por exemplo, ele pode aumentar o contato visual ou reduzir os movimentos corporais ao mentir. Se isso for inconsistente com o padrão de comportamento que você estabeleceu, trata-se de uma contramedida e ele está sendo ardiloso.

Alguns mentirosos fornecem uma profusão de detalhes em suas respostas ou são insistentes, como um vendedor, tentando convencê-lo da sua inocência.

Procure inconsistências no padrão da fala e no tom da voz. Algumas expressões típicas de lacuna de informação, ou mentira por omissão, usadas por mentirosos são: "quando vi..." "logo depois...", "coincidentemente....", "no entanto...", e "em seguida...".

VÁ À LUTA!

Agora que você leu todo o livro, está na hora de começar a praticar, se é que já não começou. Quanto mais você praticar o que aprendeu, melhor. Divirta-se!

Uma boa maneira de começar a testar suas habilidades é com as crianças, pois elas ainda não aprenderam a esconder muito bem suas mentiras, e seus sinais são evidentes. Recomendo também que pratique com amigos e familiares, pois eles podem lhe dizer quando foi que mentiram. Você poderá aprender muito dessa forma.

As táticas ensinadas neste livro não são truques mágicos, essa não é uma ciência exata. Seja qual for a sua idade, sexo, idioma ou bagagem cultural, com prática você certamente aumentará a sua taxa de acerto.

Não se deixe abater se seus primeiros resultados não forem bons – isso é normal. Lembre-se de que provavelmente você começará com uma taxa de acerto de 45 a 50%, mas seu objetivo é atingir 70 a 80%. Mesmo quando você estiver treinado, ainda assim deixará escapar algumas mentiras. Porém, eu posso lhe garantir que, se você aplicar as informações contidas neste livro, se transformará num bom "Detector de Mentiras Humano" – essa é a verdade!

Terceira Parte

Seção de Consulta Rápida

A NATUREZA DA MENTIRA: RESUMO DOS PRINCIPAIS PONTOS

Mentir é uma parte normal da comunicação humana e nem sempre deve ser considerado errado.

As pessoas mentem regularmente, cerca de uma vez a cada dez minutos de conversa.

Às vezes é necessário mentir para não ferir os sentimentos alheios e ajudar a interação humana cotidiana. Outras vezes, a mentira pode ser bastante prejudicial às pessoas e aos seus relacionamentos.

Mentiras em Benefício de Outros são direcionadas para outras pessoas e geralmente são bem-intencionadas. São chamadas também de mentirinhas bobas ou sociais.

Mentiras em Benefício Próprio podem ser direcionadas para qualquer pessoa, mas seu objetivo é favorecer ou proteger o mentiroso. Embora nem sempre seja o caso, essa categoria de mentira pode ser temível e danosa.

A NATUREZA DA DETECÇÃO DA MENTIRA: RESUMO DOS PRINCIPAIS PONTOS

Naturalmente, somos muito melhores em contar mentiras do que em detectá-las. Sem treinamento especial, a taxa de acerto da maioria das pessoas, mesmo daquelas que trabalham em áreas em que essa habilidade é importantíssima, gira em torno de 50%.

Com conhecimento específico (fornecido por este livro) e prática (essa fica por sua conta), essa porcentagem pode chegar a 80%.

Quanto mais você usar o "radar antimentira", mais aperfeiçoará a sua capacidade de detectar mentiras. Entretanto, você não quer que ele fique ligado o tempo todo – se souber quando deve ligá-lo, ficará mais atento quando realmente usar essas habilidades.

Algumas pessoas têm um talento natural para detectar mentiras, sem treinamento específico. Essas pessoas conseguem alcançar uma taxa de acerto de pelo menos 80%.

As pessoas acreditam que conseguem dizer se seu marido, sua esposa, seu filho ou seu amigo íntimo está mentindo. Geralmente isso não é verdade, devido a dois fatores principais; excesso de confiança (conhecemos bem aquela pessoa e, portanto, seremos capazes de identificar sinais reveladores) e proximidade (os seres humanos costumam acreditar nas pessoas com as quais têm um vínculo afetivo). Esses dois fatores levam à perda de objetividade, o que impede que a pessoa perceba sinais claros que, de outra forma, ela perceberia.

Estudos demonstraram que 55% da comunicação é não verbal (como o corpo se movimenta/reage); 38% é vocal (como as palavras são ditas) e apenas 7% é puramente verbal (as palavras ditas). Embora as palavras ditas não possam ser totalmente ignoradas na detecção de mentira, a maneira como elas são ditas e a forma como o corpo da pessoa se movimenta/reage durante a comunicação é muito mais importante.

Não podemos nos basear apenas naquilo que nos dizem. Pessoas com boa capacidade de detectar mentiras baseiam-se no que lhe dizem e no que observam.

RESPOSTAS À MENTIRA: RESUMO DOS PRINCIPAIS PONTOS

De maneira geral, após uma mentira existem três fases de resposta:

Fase 1. Resposta emocional: Percepção, por parte do mentiroso, da falsidade que acabou de dizer, o que provoca sentimento de culpa, medo, estresse e, às vezes, agitação. O grau do impacto que isso terá sobre ele e seu comportamento é determinado principalmente pela magnitude das consequências de ser pego numa mentira. Por exemplo, uma mentirinha boba provoca apenas um pequeno grau de emoção. Um caso sério, como infidelidade, crime ou mentira para fechar um contrato de negócios ou conseguir um emprego, geralmente produz um aumento perceptível dessas emoções, tornando-as mais fáceis de ser detectadas.

Fase 2. Resposta do Sistema Nervoso Simpático: O impacto do sentimento de culpa, medo, estresse ou agitação sobre o mentiroso, que produz "sinais de mentira", como tamborilar os dedos na mesa, ficar inquieto, falar depressa demais, evitar o contato visual e movimentar os olhos rapidamente.

Fase 3. Resposta cognitiva: Uma contramedida usada pelo mentiroso para ocultar os "sinais de mentira". Isso é feito mais facilmente por meio de canais altamente condutores (áreas do corpo que o mentiroso controla facilmente, isto é, as mãos e os olhos). Essas áreas não devem ser menosprezadas. No entanto, é mais produtivo concentrar-se em áreas de menor controle, como tamanho da pupila, movimentos da parte inferior do corpo e microexpressões.

Sequência de respostas à mentira: Se a resposta emocional for medo (fase 1) e fizer com que o mentiroso comece a bater o pé de leve (fase 2), ele tentará esconder o movimento da perna (sob a mesa ou pressionando as pernas contra a cadeira), para disfarçar a culpa (fase 3).

Mentalmente, só temos $100,00. Imagine que os seres humanos têm uma capacidade cerebral equivalente a $100,00 em qualquer dado momento. O mentiroso precisa gastar essa quantia com bastante critério para não ser detectado. Se ele investir demais para esconder os sinais de mentira revelados pelos movimentos corporais, suas respostas não farão nenhum sentido. Por outro lado, se suas respostas forem sensatas, pode ser que ele não tenha investido o suficiente para esconder os movimentos corporais que denotam culpa. Se você pedir mais esclarecimentos, poderá causar uma "falência mental", revelando uma série de sinais claros de mentira.

PROCESSO DE DETECÇÃO DE MENTIRA: RESUMO DOS PRINCIPAIS PONTOS

O Modelo de Detecção de Mentira é um processo fácil de memorizar e que pode ser aplicado a todas as situações. Este resumo ajudará a refrescar sua memória. Se quiser informações mais detalhadas, leia toda a seção intitulada "Processo de Detecção de Mentira".

Motivação: A pessoa tem motivação para mentir? As motivações são: evitar constrangimento; causar boa impressão; obter vantagem; e evitar punição. Você obterá resultados mais precisos se mantiver a objetividade, portanto não parta do princípio de que a pessoa está mentindo – ela pode ter motivação para mentir, mas estar dizendo a verdade.

Faça Perguntas de Controle para estabelecer um padrão inicial: Quando ligar seu "radar antimentira", observe as respostas verbais e não verbais às Perguntas de Controle – aquelas que a pessoa responde honestamente. Dessa forma, você terá um padrão de comportamento. Não tenha pressa, pois essa etapa criará uma base confiável para que você possa detectar mudanças no comportamento se a pessoa mentir.

Perguntas Capciosas: Para identificar um mentiroso, primeiro é necessário dar oportunidade para que ele diga uma mentira. Para isso, você precisa fazer uma ou duas Perguntas Capciosas – sutilmente. A melhor forma é fazer essas perguntas como parte normal da conversa, sem dar chance para que a pessoa esconda sinais de mentira.

Indicadores: Você identificou sinais de mentira, com base no padrão de comportamento que observou ao fazer as Perguntas de Controle? Esses indicadores apareceram como um grupo de sinais em rápida sucessão? Se isso ocorrer em resposta a uma Pergunta Capciosa, mire o seu "radar antimentira". No final desta seção você encontrará uma lista de alguns sinais de mentira.

Verifique novamente: Reavalie. Para fazer isso, repita as quatro etapas mencionadas anteriormente e confirme a presença do grupo de sinais. Se você identificar um grupo de sinais semelhante aos identificados após a Pergunta Capciosa, é provável que tenha apanhado um mentiroso.

Alguns sinais de mentira: Movimentar os dedos, mãos, pernas e pés ou ausência de movimento; alterar o padrão da fala; errar mais a pronúncia das palavras; limpar a garganta; engolir em seco ou gaguejar exageradamente; movimentar os olhos de maneira que revele que a pessoa está inventando, e não se lembrando; fazer menos contato visual ou aumentar muito esse contato; coçar o nariz; assumir uma postura fechada, inclinando o corpo para trás e cruzando os braços para criar uma barreira; pôr a mão sobre a boca ou sobre os olhos; piscar com mais frequência e, em seguida, colocar a mão no rosto; mostrar contradição entre "o que é dito" e "o que é transmitido pelos gestos" (fazer que "sim" com a cabeça, mas dizer "não"); fingir cansaço, como, por exemplo, simulando um bocejo. Dar respostas mais rebuscadas e excessivamente detalhadas; e exibir microexpressões conflitantes.

SINAIS DE MENTIRA: RESUMO DOS PRINCIPAIS PONTOS

Siga o Modelo de Detecção de Mentira de cinco etapas.

As três principais áreas dos olhos que devem ser observadas são: contato visual, frequência do piscar e movimento ocular.

Quando você faz uma pergunta, os olhos do interlocutor devem:

- Mover-se horizontalmente ou diagonalmente para cima – para a direita (a sua direita) se ele estiver se lembrando de algo que realmente aconteceu. Isso indica que ele realmente vivenciou aquilo que está lhe contando; ou
- Mover-se horizontalmente ou diagonalmente para cima – para a esquerda (a sua esquerda), se ele estiver criando algo sobre o qual nunca ouviu falar. Isso indica que ele nunca viu nem ouviu aquilo de que está falando.
- Essas direções valem para uma pessoa destra; a direção dos olhos do canhoto é invertida.
- É possível verificar se a pessoa é destra ou canhota durante as Perguntas de Controle, simplesmente perguntando-lhe sobre fatos que ela realmente vivenciou.
- Às vezes a pessoa olha para a frente com pouco ou sem nenhum movimento ocular, aparentemente sem fixar o olhar em nenhum

ponto em especial. Esse também é um sinal de que ela está se lembrando de um acontecimento real.

- Essa técnica não funciona com todo mundo – para determinar se alguém está mentindo é preciso basear-se também em outros sinais de mentira.

O mentiroso gosta de cobrir a boca, e alguns tocam o nariz para encobrir momentaneamente a boca com a mão ou porque a mucosa nasal fica repleta de sangue, provocando uma sensação de coceira.

O sorriso espontâneo envolve os músculos ao redor dos olhos e demora um pouco para desaparecer. O sorriso falso envolve apenas a metade inferior do rosto e aparece e desaparece muito rapidamente.

As microexpressões são involuntárias e bastante breves. Elas podem parecer uma contração. Independentemente de raça, cultura ou grau de instrução, as microexpressões de alegria, tristeza, aversão (asco), desprezo, raiva, surpresa e medo são universais e não mudam, podendo ser aplicadas a todas as pessoas.

As microexpressões são tão instantâneas que a pessoa que as expressa não tem controle sobre elas. Elas exibem a verdadeira emoção interior de uma pessoa antes que ela tenha tempo de escondê-la. Procure uma incompatibilidade entre a emoção microexpressada e o que é dito.

O mentiroso usa contramedidas para tentar tapeá-lo. Por exemplo, ele pode aumentar o contato visual ou reduzir os movimentos corporais ao mentir. Se isso for inconsistente com o padrão de comportamento que você estabeleceu, trata-se de uma contramedida e ele está sendo ardiloso.

Alguns mentirosos fornecem uma profusão de detalhes em suas respostas ou são insistentes, como um vendedor, tentando convencê-lo da sua inocência.

Procure inconsistências no padrão da fala e no tom da voz. Algumas expressões típicas de lacuna de informação, ou mentira por omissão, usadas por mentirosos são: "quando me dei conta..." "logo depois...", "coincidentemente....", "no entanto...", e "em seguida...".

SINAIS DE MENTIRA: LISTA DE CONSULTA RÁPIDA

Como mencionei ao longo de todo o livro, os sinais de mentira observados durante as Perguntas Capciosas precisam ser comparados com os mesmos sinais e comportamentos demonstrados durante as Perguntas de Controle. O que você está procurando é uma incongruência entre eles. Alguns sinais de mentira aumentarão, indicando que a pessoa está mentindo, e alguns diminuirão, à medida que a pessoa tentar disfarçar a culpa. Por exemplo, um mentiroso começa a se movimentar mais quando lhe fazem perguntas, outro se senta duro como uma estátua na tentativa de esconder sua culpa. O segredo é incongruência. Procure:

- Movimentos de dedos, mãos, pernas e pés, ou ausência artificial de movimentos.
- Alterações no padrão da fala – mudança de tempos verbais entre as frases ou dentro das frases.
- Mais erros na pronúncia das palavras.
- A fala não flui de forma harmoniosa e natural.
- Repetição da pergunta – sobrecarga cognitiva – os mentirosos precisam ganhar tempo para inventar uma história.
- Movimentos oculares inconsistentes que revelam que a pessoa está inventando, e não se lembrando.
- Menor ou maior contato visual.
- Redução ou aumento da frequência do piscar.

- Lábios secos.
- Lábios pálidos.
- Coceira no nariz – devido ao aumento de fluxo sanguíneo para os tecidos eréteis.
- Inclinação do corpo para trás, para criar uma barreira.
- Mãos, braços, pernas cruzadas.
- Movimentos corporais repentinos – tensos e artificiais.
- Lábios comprimidos.
- Mãos na frente da boca ou dos olhos.
- Mão no queixo, dedo perto da boca.
- Juntar, ou não, as pontas dos dedos com as mãos espalmadas diante do rosto.
- Limpar a garganta.
- Engolir em seco.
- Gaguejar.
- Pupila dilatada.
- Contradições entre os gestos e o que é dito.
- Fingir cansaço, como, por exemplo, bocejando.
- Sorriso falso.
- Respiração mais curta, respiração mais longa.
- As microexpressões não combinam com o que é dito (isto é, o mentiroso diz "Que bom te ver", mas sua expressão revela "aversão").
- Piscar prolongado seguido de mão no rosto.
- Postura corporal fechada e recolhida ou falsamente aberta.
- Omissão de informação.
- Resposta elaborada e detalhada.

SINAIS DE MENTIRA: GUIA DE IMAGENS PARA CONSULTA

Aumenta o contato visual.

Desvia do olhar.

Coloca a mão no rosto.

Esfrega o olho e desvia o olhar.

Olha para a esquerda: criando ou inventando.

Olha para a direita: lembrando-se de um evento real.

Olha, para ver se você acreditou nela.

Toca o nariz com frequência.

Junta os lábios com a mão ou belisca os lábios.

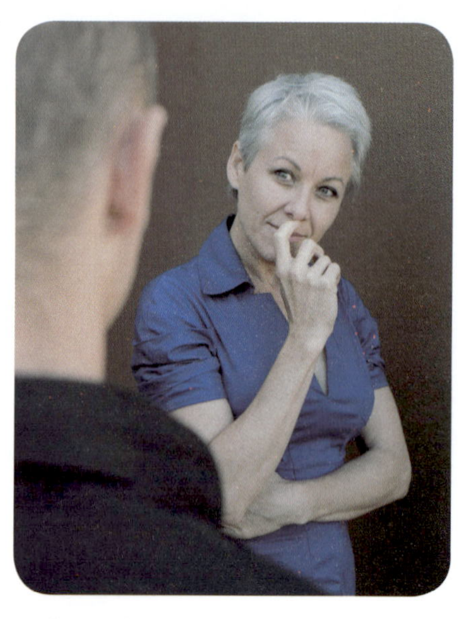

Cobre a boca com a mão. Vira a cabeça.

Cobre a boca com uma caneta ou outro objeto.

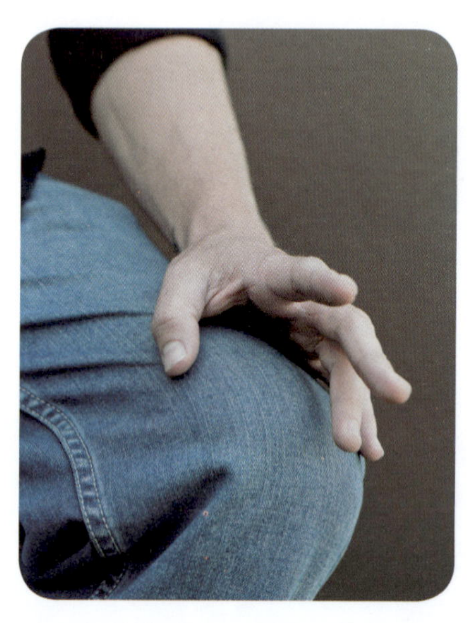

Mexe os dedos, a mão ou a perna.

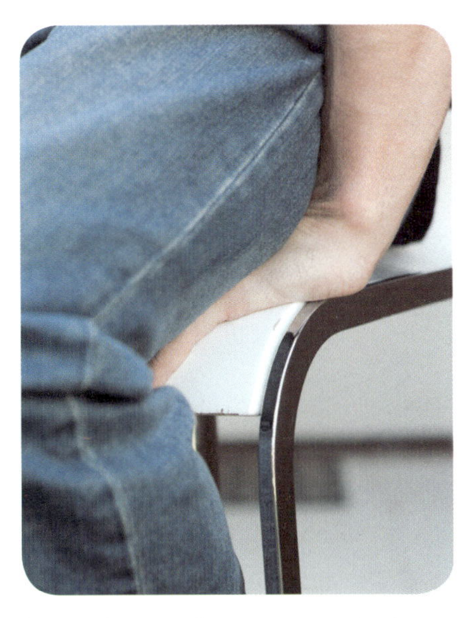

Esconde as mãos para controlar a inquietação.

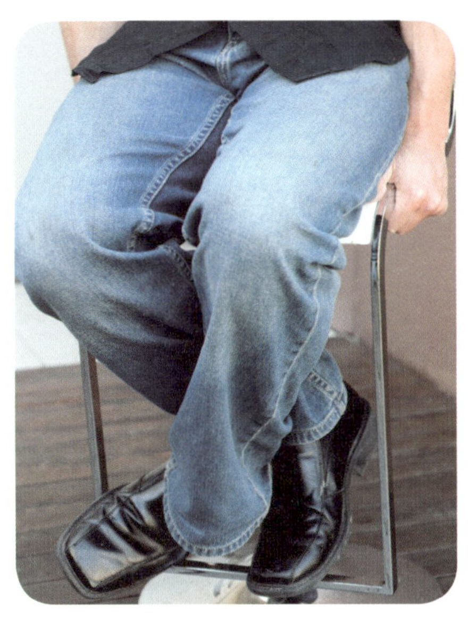

Trava os tornozelos para controlar os movimentos da perna.

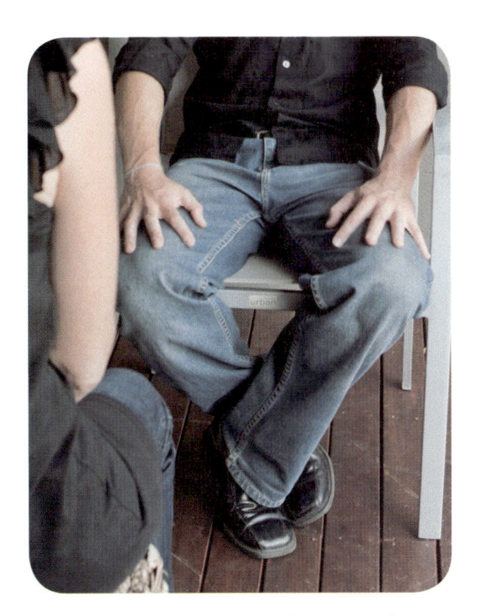

Escora as pernas nos braços da cadeira para minimizar os movimentos.

Finge estar relaxado.

Vira o corpo. Ajusta a posição.

Usa um objeto para criar distância.

Exibe postura corporal fechada.

MICROEXPRESSÕES:
GUIA DE IMAGENS PARA CONSULTA

Alegria.

Tristeza.

Raiva.

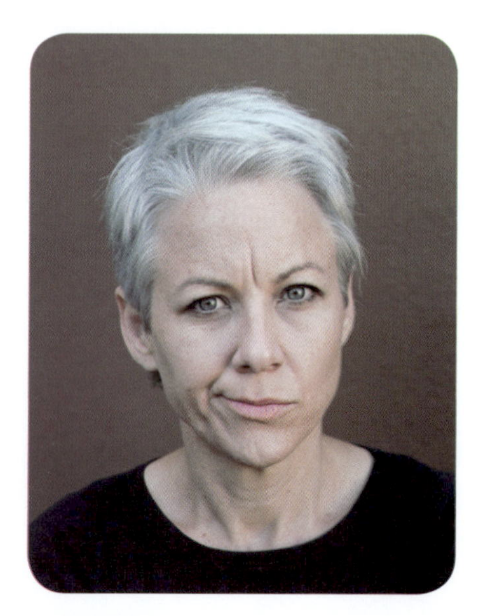

Desprezo.

Aversão (asco).

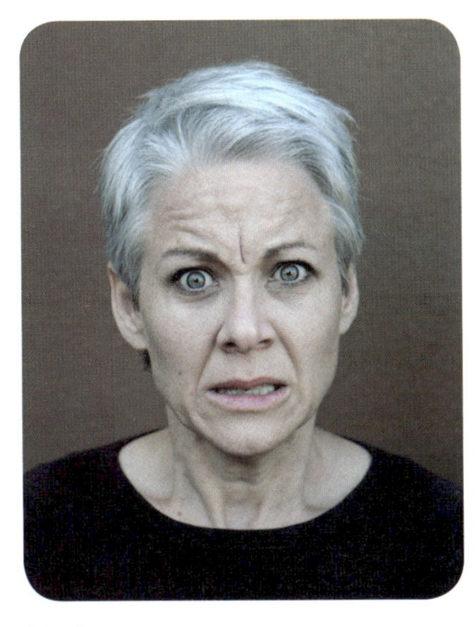

Medo.

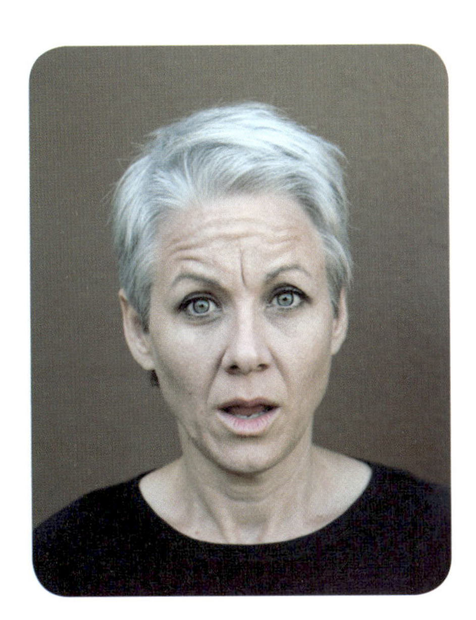

Surpresa.

DICAS ÚTEIS – PAIS E PROFESSORES

Algumas pessoas acham que não é justo interrogar crianças usando esses métodos, que é uma invasão de privacidade. No entanto, creio que, nas circunstâncias certas, saber a verdade é essencial para o bem-estar de uma criança e faz parte da boa criação dos filhos e de um ensino adequado. Não acho que devemos testar sempre as crianças para ver se elas estão falando a verdade, apenas quando realmente é importante. Lembre-se de sempre aplicar o Modelo de Detecção de Mentira. Aqui estão algumas dicas úteis.

Perguntas compatíveis com a idade da criança: A intensidade com que uma criança deve ser interrogada deve estar rigorosamente de acordo com a idade dela. Por exemplo, você pode interrogar de forma bastante enérgica um jovem de 17 anos, mas deve ser mais brando com uma criança de 8 anos. Além disso, lembre-se de que crianças pequenas, por volta dos 5 anos de idade, ainda não desenvolveram a capacidade de mentir e talvez não estejam mentindo, mas simplesmente sendo imaginativas. Quando tinha 4 anos, uma de minhas filhas me disse "honestamente" que uma aranha tinha quebrado o nosso *sprinkler*. Isso não era verdade, mas ela realmente acreditava no que disse. Não se pode castigar uma criança por isso, portanto cuidado para não punir uma imaginação fértil. Além disso, se você pressionar demais uma criança, ela vai admitir a maioria das coisas, independentemente de qualquer culpa, ou então vai dizer aquilo que ela acha que você quer ouvir. Quanto maior a diferença de autoridade entre as partes, mais exacerbada é essa reação. Por exemplo, quando um diretor de escola interroga um aluno, em vez de um jovem professor. O objetivo da detecção de mentira é identificar a verdade, e não coagir um inocente. É mais proveitoso e mais justo fazer perguntas com cuidado e de maneira apropriada à idade da criança.

Lembre-se do excesso de confiança e mantenha a objetividade: Para os pais, interrogar os próprios filhos é sempre uma tarefa traiçoeira, por causa dos problemas de proximidade e excesso de confiança que mencionamos neste livro. Como você ama aquele "pestinha" e acha que o conhece bem, pode deixar passar sinais de mentira. Decidir se ele está mentindo ou dizendo a verdade antes de fazer uma avaliação apropriada (usando o Modelo de Detecção de Mentira) só levará a uma conclusão errada. No caso dos professores, é importante que eles não se baseiem no histórico do aluno. Um aluno que costumava mentir pode não fazer isso em todas as ocasiões. Em contrapartida, um aluno com carinha de santo de vez em quando vai mentir. Não é fácil ser imparcial, principalmente quando você desconfia que a criança fez alguma coisa errada ou presume que ela seja inocente. Para aumentar a margem de acerto, a abordagem tem de ser ponderada; é preciso fazer perguntas com cautela e imparcialidade, aplicando o Modelo de Detecção de Mentira.

O corpo da criança grita: Recomendo que você faça as perguntas enquanto a criança estiver em pé, pois as crianças têm menos controle muscular no rosto e no corpo do que os adultos. Portanto, quando você usar o Modelo de Detecção de Mentira e passar das Perguntas de Controle para as Perguntas Capciosas, a criança culpada exibirá movimentos diferentes daqueles observados quando ela estava dizendo a verdade. Os movimentos das crianças são bastante exagerados nessas circunstâncias, e você pode usar isso a seu favor.

Prós e contras do blefe: Alguns pais e professores tentam blefar, dizendo à criança que sempre conseguem saber quando ela está mentindo. Esse método funciona muito bem até o dia em que você erra, pois ela descobre que não era verdade e você simplesmente perde credibilidade e respeito. Lembre-se de que, sem treinamento, a sua taxa de acerto é de aproximadamente 50%, e que com treinamento e conhecimento, a maior taxa de acerto que a maioria das pessoas pode esperar é de 80%. O Modelo de Detecção de Mentira não é infalível, portanto se você pegar uma criança mentindo não diga que consegue fazer isso sempre, pois não é verdade (eu também não consigo) – mas você pode deixar que ela acredite nisso. O blefe implícito é mais eficaz e funciona por mais tempo.

EXEMPLO: Lembro-me perfeitamente de que, quando eu tinha 7 anos de idade, quebrei a bicicleta do meu irmão caçula e achei que ninguém sabia – mas meu pai sabia, e eu entrei pelo cano. "Como o senhor descobriu?", perguntei (sem saber que o vizinho havia lhe contado), e tudo o que ele disse foi: "Às vezes os pais sabem essas coisas". Eu achei que meu pai pudesse ler a minha mente, e depois disso raramente menti para ele. Se ele tivesse dito que sempre sabia, um dia ele iria errar. E aí eu descobriria a sua mentira e me sentiria livre para mentir novamente à vontade. Entretanto, o fato de não saber quando ele sabia e quando não sabia foi uma maneira tortuosa de fazer com que eu fosse mais sincero. Sugiro que você aplique uma estratégia parecida com seus filhos ou alunos. Se você pegar uma criança mentindo, "às vezes as mães sabem esse tipo de coisas" é muito melhor do que "sempre sei quando você está mentindo" ou "um passarinho me contou". Isso só a fará odiar os pássaros.

Aprender com a mentira da criança: Para os pais, uma das melhores maneiras de descobrir quais são os sinais de mentira do filho é sendo paciente e estudando o comportamento dele. Não espere até que ocorra um problema sério para tentar usar suas habilidades – isso não seria confiável. Meu conselho é que você espere até surgir uma oportunidade para aprender alguma coisa sobre o mau comportamento do seu filho por outros meios, e não com o Modelo de Detecção de Mentira. A informação tem de ser confiável, ele acha que você não sabe. Por exemplo, se o pai de um aluno ou o professor disser que seu filho foi pego colando na prova, use essa informação confiável para aplicar o Modelo de Detecção de Mentira. Quando fizer as Perguntas Capciosas, observe os sinais de mentira do seu filho – eles certamente se manifestarão. Guarde-os na sua mente para referência futura. Não revele que você sabe que ele mentiu, pois se ele achar que se deu bem dessa vez, naturalmente usará o mesmo método da próxima vez. Quando houver um problema sério, você poderá aplicar novamente o Modelo de Detecção de Mentira e ver se observa os mesmos sinais, ou sinais semelhantes.

Observação final: Pais, lembrem-se de que é muito difícil aprender a detectar as mentiras dos próprios filhos, principalmente quando eles são mais velhos. Se vocês errarem, poderão causar muita mágoa, portanto vão com calma. Professor, lidar com tantas crianças torna a sua tarefa particularmente árdua; você simplesmente não pode nem deve tentar aprender os sinais de mentira de todos os alunos. Não se esqueça de que você não deve se basear no histórico de um aluno (positivo ou negativo), portanto só ligue o seu "radar antimentira" quando realmente for preciso, e aborde cada situação com imparcialidade.

OS SINAIS DE MENTIRA MAIS EVIDENTES DAS CRIANÇAS:

Olhos: Observe os olhos, eles percorrerão todo o ambiente e olharão tudo, exceto os seus olhos; isso é mais evidente em crianças pequenas.

Observe também os movimentos oculares. Será que a criança está realmente se lembrando de algo ou vasculhando a mente em busca de ideias para inventar respostas? (Ver a seção *Movimentos Oculares*, na página 87.)

Inquietação ou brincar com um objeto: Esse sinal é mais proeminente em crianças com mais de 7 anos de idade, e é um instrumento natural de distração. As crianças fazem isso para que não tenham de olhar para você, como se estivessem ocupadas demais. É uma estratégia um pouco mais sofisticada do que a das crianças menores, que simplesmente olham em toda a volta, exceto para o pai ou a mãe.

Mão na boca: Quanto mais nova a criança, mais evidente será esse sinal. Uma criança pequena pode pôr a mão inteira sobre a boca – tentando cobrir de onde veio a mentira. Crianças mais velhas são mais sutis, mas ainda assim colocam a mão no rosto ou tentam esconder o rosto momentaneamente pegando um copo de água (enquanto evita o seu olhar) e, depois, usando o copo para esconder a boca enquanto bebem a água.

Padrão da fala: Esse aspecto é mais proeminente em crianças pequenas – elas falam mais devagar enquanto tentam inventar alguma coisa (por causa do aumento da carga cognitiva) e depois mais rápido, ao responder (para compensar a demora causada pela "culpa"). Os adolescentes também fazem isso, mas de maneira mais sutil. Eles usam também distração verbal, como mudar de assunto de repente, fazendo-lhe uma pergunta sem responder à sua ou apontando para algo que não tem nada a ver com o assunto que está sendo tratado. Uma resposta excessivamente detalhada ou elaborada será decididamente um sinal de mentira se, em geral, o adolescente for bastante conciso quando diz a verdade.

Silêncio: Se a criança responder e você não tiver certeza de que ela está dizendo a verdade, faça uma pausa – espere, olhe bem nos olhos dela. Não demonstre nenhuma expressão. Isso é muito importante, pois a criança culpada olhará o tempo todo para outras coisas, menos para você, ou, se ela for mais velha, olhará rapidamente para ver se você acreditou no que ela disse. Em ambos os casos, a criança estará desesperada para descobrir se conseguiu tapear você ou não. A ausência de resposta e de expressão aumenta a pressão sobre a mente culpada. Provavelmente a criança dirá "O quê?" tentando obter algum tipo de *feedback*, ou então repetirá a resposta, provavelmente de forma mais detalhada e mais convincente. Culpada, meritíssimo!

DICAS ÚTEIS – ENTREVISTA DE EMPREGO E NEGOCIAÇÃO

Para que uma entrevista de emprego e uma negociação sejam bem-sucedidas, é preciso levar em consideração diversos elementos e fatores. Não existem sinais de mentira específicos desses contextos, mas essas Dicas Úteis apresentam algumas das técnicas que ajudam a identificar desonestidade nessas situações. Embora o candidato ao emprego e o negociador possam sentar-se à mesa com diferentes perspectivas e relação de "poder" com você, os primeiros geralmente são os que têm menos poder. Existem algumas táticas que podem ser empregadas com ambos e que poderão ajudá-lo a identificar mentiras. Por essa razão, eu incluí essas táticas aqui. Lembre-se de aplicar sempre o Modelo de Detecção de Mentira.

Nervosismo é normal: Nós analisamos vários sinais de mentira neste livro, alguns dos quais se tornam mais frequentes quando a pessoa está nervosa, como ficar com os lábios secos, adotar uma postura corporal fechada e engolir em seco. Em circunstâncias normais, quando esses tipos de sinais são revelados durante a fase de Perguntas Capciosas, eles indicam mentira. A situação do negociador e do entrevistado é ligeiramente diferente, pois ambos podem começar a interação com você já nervosos e, depois, relaxarem à medida que o processo avança. Dessa forma, se você aplicar o Modelo de Detecção de Mentira desde o princípio, fará as Perguntas de Controle para uma pessoa nervosa e achará que esse é o padrão de comportamento dela. Quando você passar para as Perguntas Capciosas, ela poderá estar se sentindo mais à vontade no ambiente e parecer responder com sinceridade, quando, na verdade, não está. A melhor maneira de evitar que isso aconteça é não ter pressa; reconheça que a pessoa pode estar nervosa e dê algum tempo para que ela se acalme. Há tempo de sobra para detectar subterfúgios durante negociações e entrevistas de emprego, mas, para fazer isso com mais exatidão, é essencial estabelecer um padrão de comportamento confiável e verdadeiro. Para ajudar a pessoa a se acalmar, faça perguntas simples ou discuta outros assuntos – fale sobre o tempo, sobre o trânsito ou sobre café. Quando ela estiver mais tranquila, comece a fazer as Perguntas de Controle e estabeleça um padrão de comportamento confiável, a partir do qual você poderá identificar sinais de mentira durante as Perguntas Capciosas.

Estabelecendo um ambiente: Durante entrevistas de emprego e negociações, você poderá utilizar alguns fatores ambientais a seu favor para ajudá-lo a identificar mentiras. Como dissemos anteriormente, devido às Respostas do Sistema Nervoso Simpático (a reação de "luta ou fuga"), os mentirosos sentem necessidade de movimentar o corpo, como ajeitar-se na cadeira com frequência, mexer as pernas e ficar batendo os dedos. Por esse motivo, eles tentam controlar ou esconder esses movimentos como uma contraestratégia (Resposta Cognitiva) para disfarçar a culpa. Nesse caso, você poderá "combater essa contraestratégia" fazendo com que eles tenham mais dificuldade de esconder os movimentos que revelam culpa. Eis algumas medidas simples e eficazes que o ajudarão a atingir esse objetivo: providenciar para que a pessoa sente-se em uma cadeira giratória; fazer com que a cadeira seja ligeiramente mais baixa do que a sua; dispor os móveis de modo que você possa observar os movimentos da parte inferior do corpo da pessoa (lembrando que os canais menos condutores são mais difíceis de serem controlados pelo mentiroso – os pés e os dedos dos pés enquadram-se nessa categoria); e colocar objetos em cima da mesa que ela possa pegar facilmente, como uma caneta ou uma borracha. Todas essas medidas têm o objetivo de dar à pessoa a maior liberdade de movimentos possível. Dessa maneira, quando você fizer as Perguntas Capciosas, como "Você foi despedido do seu último emprego?" ou "Essa é a maior oferta que a sua empresa pode oferecer?" e a pessoa mentir – os movimentos de culpa serão amplificados e, consequentemente, mais fáceis de serem identificados.

Omissão de informação e distração: Como mencionado anteriormente neste livro, omitir informação significa "pular" partes de uma história que, se fosse contada em maiores detalhes, exporia uma mentira. Algumas vezes, durante entrevistas de emprego e negociações, a omissão de informação é seguida por distração. O objetivo do mentiroso é desviar a atenção da pessoa de alguma área que ele quer evitar. Quando um entrevistado ou negociador faz isso, é sinal de fraqueza e representa uma área que você deve explorar mais, pois alguma informação está sendo omitida. Pode ser uma lacuna na carreira profissional do candidato ou, no caso de um negociador, uma incapacidade de apresentar determinado resultado ou cumprir determinado prazo.

Exemplo: Candidato a uma vaga de emprego na Academia Magee.

Entrevistador: "Fale um pouco sobre seus últimos empregos".

Entrevistado: "Trabalhei 13 meses no Woodgates's Gym and Fitness Centre, onde dava todas as aulas de ginástica aeróbica e treino em circuito três vezes por semana e, nos outros dias, ajudava na administração da academia. Portanto, tenho uma boa experiência nessas duas áreas. Depois que a academia fechou, trabalhei durante algum tempo na Ashby's Gym e agora quero muito trabalhar na Magee's Gym, em qualquer setor que vocês precisarem – como professor, *personal trainer* ou na parte administrativa – sou uma pessoa muito motivada".

Você consegue identificar a área que essa pessoa não quer que seja examinada – onde tem a lacuna de informação e uma distração sutil? Quando lemos a resposta, observamos que o período em que o candidato trabalhou no Woodgates's Gym and Fitness Centre é bem detalhado. Depois disso as informações tornam-se vagas em relação à Ashby's Gym (omissão de informação) e, em seguida, o nível de detalhes aumenta novamente (a distração) quando o candidato fala do novo emprego. Eu aconselharia o entrevistador a fazer mais perguntas sobre a Ashby's Gym ou, talvez, telefonar para eles e pedir referência.

Um exemplo semelhante pode ocorrer durante um processo de negociação, quando a outra parte pula determinado aspecto e/ou tenta desviar a sua atenção de algum aspecto ou detalhe; portanto fique alerta para essas técnicas – elas representam sinais de advertência. Omissão de informação e distração, sozinhas, não indicam mentira, mas identificam áreas em que você deveria prestar mais atenção.

Amistoso, amistoso, severo: Para obter bons resultados em entrevistas de emprego e negociações, é essencial fazer as perguntas certas. Para ajudar a identificar mentiras durante esses processos, uma boa técnica consiste em fazer uma pergunta que põe inesperadamente o interlocutor na berlinda. Quando isso ocorre, as pessoas que falam a verdade se recuperam rapidamente; os mentirosos, por outro lado, ficam paralisados e deixam escapar sinais de mentira enquanto pensam numa resposta verbal – devido ao aumento repentino na carga cognitiva. Para maximizar o impacto dessas perguntas, é importante agir no momento certo. Eu emprego a abordagem "Amistoso, Amistoso, Severo". Com essa abordagem, eu conduzo a pessoa para um caminho "amistoso", desarmando-a, e, de repente, faço uma pergunta "difícil". Para a pessoa sincera isso não é problema, pois ela simplesmente transmite a informação verdadeira que já tem. Mas o mentiroso precisa inventar rapidamente uma informação que, devido ao caminho amistoso pelo qual foi conduzido, ele não teve tempo para preparar. Isso fará com que ele deixe escapar sinais de mentiras mais evidentes. Para maior impacto, ao fazer a pergunta difícil olhe diretamente nos olhos da pessoa.

Quando usar essa técnica, evite fazer duas perguntas difíceis numa só. Esse tipo de pergunta dá à pessoa a opção de escolher que parte da pergunta responder, e no caso de uma pergunta difícil você não vai querer lhe dar essa opção. Aqui está um exemplo de duas perguntas contidas numa só: "Esse é o seu menor preço? E o produto é de boa qualidade?" Ao responder essa pergunta, a pessoa pode falar sobre a qualidade do produto, mas evitar a parte sobre o preço.

Exemplo da abordagem "Amistoso, Amistoso, Severo":

P: "Se concordarmos com o preço, vocês conseguirão entregar o produto no prazo?"
R: Conseguiremos.
P: "Vocês fabricam esse produto há muito tempo?"
R: Sim.
P: "O serviço de pós-vendas de vocês é bom?"
R: É.
P: "E o melhor preço de vocês é $1.200?"
R: Sim.
P: "Por que vocês não podem fazer um preço melhor?" (Pergunta difícil)

A última pergunta forçará a pessoa a responder com sinceridade ou inventar rapidamente razões para embasar o preço do produto. Isso pode fazer com que uma pessoa honesta fique desconfortável, mas ela se recupera logo. Mas o mentiroso precisará de tempo e esforço mental consideráveis para se recompor. E, a menos que ele tenha praticado essa mentira com frequência, ele revelará sinais de mentira.

Observação final: Não importa se você está entrevistando um executivo sênior ou um operário, se está fechando a compra de uma máquina de lavar ou um contrato multimilionário, a detecção de mentira poderá poupar o seu dinheiro e evitar que você tenha uma decepção futura. Como não existem sinais de mentira que ocorram apenas durante entrevistas de emprego e negociações, para salvaguardar o máximo possível os seus interesses, recomendo que você leia o livro todo e, depois, combine as sugestões das páginas de Dicas Úteis com o processo do Modelo de Detecção de Mentira.

Referências e Notas Finais

1. Dr. Paul Ekman em: "How to Spot a Liar" de James Geary, www.time.com/time/europe/magazine/2000/313/lies.html. Ver Ressalva neste livro falando sobre limitações na exatidão da detecção de mentira.
2. Estudo da Universidade de Massachusetts citado no artigo do The College of St. Scholastica, "Lying and Deception" em http://faculty.css.edu/dswenson/web/OB/lying.html. O psicólogo Gerald Jellison (Universidade da Carolina do Sul) também descobriu que aproximadamente a cada cinco minutos as pessoas são vítimas de uma mentira em: "How to Spot a Lier" de James Geary http://www.time.com/time/europe/magazine/2000/313/lies.html; o dr. Charles Ford, autor de *Lies! Lies!! Lies!!!*, diz que o cidadão comum mente sete vezes por hora – se levarmos em conta todas as vezes que as pessoas mentem para si mesmas. O dr. Ford é psiquiatra e professor da Universidade do Alabama, em Birmingham. http://www.nlag.net/Sermons/Transcripts/mjdeadmendont.htm
3. Feldman, R. S. Forrest, J. A. e Happ, B. R. (2002) *Self presentation and verbal deception: do self presenters live more?*
4. Segundo pesquisa do professor Bella Paulo, realizada na Universidade de Massachusetts em 1996.
5. Segundo pesquisa do professor Bella Paulo, realizada na Universidade de Massachusetts em 1996.
6. "Why Don't We Catch Liars"; Paul Ekman em: Social Research, volume 63, 1996.
7. Ekman, P. (2001) *Telling Lies.*
8. Algumas pesquisas demonstraram que pessoas de origem humilde ou lares desfeitos têm maior capacidade de detectar e contar mentiras. No entanto, existem também pesquisas contrárias a essas descobertas.

9. "Why Don't We Catch Liars"; Paul Ekman em: Social Research, volume 63, 1996.
10. Ekman e O'Sullivan, 1991; DePaulo e Pfeiffer, 1986. A única categoria que alcançou um alto nível foi a de membros do Serviço Secreto americano, que atingiu 80% de exatidão.
11. Kraut e Poe (1980) "Humans as Lie Detectors: some second thoughts". *Journal of Communication*, 30, pp. 209-16. Ver também Kraut, R. E. e Poe, D. (1980). "Behavioural roots of person perception: The deception judgments of customs inspectors and laymen". *Journal of Personality and Social Psychology*, 39, 784-98.
12. A comparação entre alunos universitários e autoridades alfandegárias neste contexto se relaciona apenas à capacidade de detectar fraude como delineado na pesquisa de Kraut e Poe. As autoridades alfandegárias da maioria dos países recebem outros treinamentos profissionais, além dos analisados por Kraut e Poe, de modo que a afirmação de que as autoridades alfandegárias poderiam ser efetivamente substituídas por estudantes universitários não é séria – isso é brincadeira (!). As autoridades alfandegárias da maioria dos países são profissionais e competentes.
13. "Who Can Catch a Lier?" Ekman e O'Sullivan (1991), *American Psychologist*, Vol. 46, pp. 913-20.
14. "A Few Can Catch a Lier", Ekman, O'Sullivan e Frank (1999), *American Psychological Society*, Vol. 10, Nº 3.
15. O antropólogo Ray Birdwhistell encontrou resultados semelhantes.
16. "A Few Can Catch a Lier", Ekman, O'Sullivan e Frank (1999), *American Psychological Society*, Vol. 10, Nº 3.
17. Um estudo da dra. Maureen O'Sullivan, Ph.D. (Lie Wizard Project), da Universidade de San Francisco descobriu 31 pessoas com talento inato para detectar mentira entre as 13 mil testadas.
18. Embora haja algumas limitações, a dra. O'Sullivan descobriu que todas as pessoas dotadas de talento natural para detectar mentira eram inteligentes.
19. Artigo de Gregory A. Perez, "A Rare Few Have the Skill to Detect the Flickers of Faults Will, Scientists Say quoting the findings of Doctor Maureen O'Sullivan", em http://www.msnbc.msn.com/id/6249749.

20. Dito isso, nada nessa área é 100%, portanto você precisará usar o seu próprio discernimento para saber como usar os resultados da detecção de mentira. Como mencionado anteriormente, munido desse conhecimento necessário e de prática, a detecção de mentira será mais acurada do que a da pessoa comum.
21. Littlepage, G. E. e Pinealut, M. A. (1985). "Detection of Deception of Planned and Spontaneous Communications". *The Journal of Social Psychology*, 125(2), 195-201.
22. "Analysis of blink rate patterns in normal subjects". Bentivoglio AR, Bressman SB, Cassetta E, Carretta D, Tonali P e Albanese A. do Istituto di Neurologia, Unisersità Cattolica del Sacro Cuore, Roma, Itália. http://www.ncbi.nlm.nih.gov/pubmed/9399231.
23. *Frogs into Princes*, Neuro Linguistic Programming de Richard Bandler e John Grinder, publicado por Real People Press/UT em 1979.
24. Com base no trabalho do dr. Alan Hirsch e do dr. Charles Wolf. Ver também, "Gestures reveal what the lips conceal. (Literatura sobre insinceridade)", http://www.thefreelibrary.com/Gestures+reveal+what+the+lips+conceal.
25. Depoimento do ex-presidente Bill Clinton ao Júri de Instrução (*Grand Jury*) em 17 de agosto de 1998.
26. Cerca de uma vez a cada quatro minutos. O autor deste livro não afirma de maneira alguma que o ex-presidente Bill Clinton é mentiroso; este livro baseia-se nas descobertas de artigos acadêmicos e reportagens publicados sobre o depoimento ao Júri de Instrução.
27. Peter Collett, autor de *The Book of Tells*, publicado pela Random House.
28. Informações sobre treinamento podem ser encontradas em http://www.paulekman.com/
29. Com base na pesquisa do dr. Paul Ekman.
30. O antropólogo Ray Birdwhistell encontrou resultados semelhantes.
31. http://millercenter.org/scripps/archive/speeches/detail/3930.

PRÓXIMOS LANÇAMENTOS

Para receber informações sobre os lançamentos da
Editora Cultrix, basta cadastrar-se
no site: www.editoracultrix.com.br

Para enviar seus comentários sobre este livro,
visite o site www.editoracultrix.com.br ou mande
um e-mail para atendimento@editoracultrix.com.br